La symbolique politique

LUCIEN SFEZ

Professeur à l'Université de Paris IX-Dauphine
Directeur du Doctorat
« Décision, Communication et Pouvoir »

DU MÊME AUTEUR

Problèmes de la réforme de l'Etat en France depuis 1934, en collaboration avec Jean Gicquel, PUF, 1965.
Essai sur la contribution du Doyen Hauriou au droit administratif français, LGDJ, 1966.
L'administration prospective, Armand Colin, 1970.
Institutions politiques et droit constitutionnel, en collaboration avec André Hauriou, Editions Montchrétien, 1972.
Critique de la décision, Presses de la Fondation nationale des Sciences politiques, 1re éd., 1972, 3e éd., 1981.
L'Enfer et le Paradis, PUF, 1978.
Je reviendrai des Terres nouvelles. L'Etat, la fête et la violence, Hachette-Littérature, 1980.
La décision, « Que sais-je ? », 1984.
Leçons sur l'égalité, Presses de la Fondation nationale des Sciences politiques, 1984.
Critique de la communication, Le Seuil, 1988.

OUVRAGES DIRIGÉS PAR LUCIEN SFEZ

L'objet local, Christian Bourgois, « 10/18 », 1977.
Décision et pouvoir dans la société française, Christian Bourgois, « 10/18 », 1980.

ISBN 2 13 041731 0

Dépôt légal — 1re édition : 1988, septembre

© Presses Universitaires de France, 1988
108, boulevard Saint-Germain, 75006 Paris

INTRODUCTION

Le politique n'est pas spécifiquement affaire d'intérêts, sinon il se nommerait « économie ». Ni de structures, sinon son domaine serait couvert par la sociologie. Ni de rapports de force, métaphore machinique, énergétique propre au XIXᵉ siècle. Non.

Le politique est affaire de symbolique. Enoncer les règles et les manifestations de la symbolique politique, c'est du même coup définir le champ du politique, ses frontières, ses variations. Car le politique est spécifiquement affaire de légitimité, c'est-à-dire de croyances et de mémoires validées, en d'autres termes de symboles. Comment cela ?[1]

I. — Les fonctions de la symbolique politique

Si l'on admet que la vie en société est faite de rapports inégalitaires avec des dominants et des dominés, des dirigeants et des dirigés, il faut comprendre que ce tissu ne peut tenir à la longue par les seules vertus de la force nue, police ou armée ; que le principal instrument de cohésion, le plus efficace en longue période et le moins coûteux car il puise dans les ressources inépuisables de la mémoire des peuples, réside dans la symbolique politique. Si l'on admet en outre la nécessité d'une conciliation permanente, dans chaque occasion de la vie civile entre l'ordre

1. Sur tous ces thèmes, et bien d'autres dans ce petit livre, voir Lucien Sfez, *L'Enfer et le Paradis*, PUF.

et le mouvement, on est immédiatement éclairé sur l'importance de la symbolique politique, qui fournit les critères et les axes permanents de ces conciliations.

II. — Les processus
de la symbolique politique

Chaque leader, chaque famille politique tente de se démarquer des autres, tout en esquissant un projet unificateur pour le pays tout entier. Raymond Barre esquisse un jour les contours d'une société française multi-raciale, mais formule en un discours postérieur un « Travail, Famille, Patrie », chargé de souvenirs : grand écart délibérément créé et que la symbolique barriste entend un jour combler. « Fraternelle » dira plus tard Le Pen d'une société qui aura exclu les « si-daïques », terme dont la musique renvoie à un qualificatif issu de Judée. Le procédé symbolique est ici identique : créer un hiatus à surmonter entre deux pôles ennemis et faire recours à d'anciennes mémoires. Toute position politique, sur la sécurité sociale ou sur l'armée, sur l'éducation ou sur la police est investie *avant tout* par les affects et la mémoire. Ce n'est qu'*après coup* qu'elle est analysée, justifiée, rationalisée.

Et l'interprétation qui en est donnée dépend *avant tout* de l'énonciateur, de son image, de ses pratiques et non — ou très peu — du contenu de son discours. Si Michèle Barzach, ministre RPR de la Santé, ou Edmond Hervé, ministre socialiste, avaient inventé le mot « sidaïque », la maladresse aurait été dénoncée mais sans levée générale de boucliers. Mais ce mot est formulé par Le Pen, à tout le moins suspect d'anti-sémitisme... Diable. « Procès d'intention intolérable », tonne le leader du Front national, qui a bien raison au pied de la lettre mais qui feint d'oublier que les connotations qu'il manipule sont au cœur de toutes les pratiques symboliques.

Autre exemple : Raymond Barre et son discours aux chômeurs, dès 1979 : « Créez vous-mêmes votre propre entreprise. » Ce discours fut ressenti comme cynique par le « peuple de gauche ». Quelques années plus tard, François Mitterrand glorifia l'entreprise et l'initiative privée, réconciliant la gauche et l'esprit d'entreprise : son discours fut ressenti comme réaliste. Ce n'est pas seulement que la situation avait mûri. C'est que les deux énonciateurs étaient porteurs d'un capital symbolique différent et qu'en conséquence chacun de leurs énoncés renvoyait à tous les autres à l'intérieur du même capital. S'adressant à des chômeurs Mitterrand ne peut, par définition, exprimer le moindre cynisme...

Ainsi va la symbolique politique, avec ses arbitraires et ses mémoires sélectives, bricolées, bariolées.

La symbolique politique ne sait pas toujours ce qu'elle fait, ce qu'elle dit. Pour conserver son efficacité, elle doit rester dans la pénombre, suggérer le non-dit, amorcer la part nécessaire de l'imaginaire et du rêve. Abeille impériale ou fleur de lys, l'imaginaire des anciens rois ou l'imaginaire impérial, suscitent des images qui défilent en désordre. Elles renvoient à des actions, effectivement conduites où ces images ont joué un rôle de mobilisation ou de récupération. Il est donc vain de séparer images et action. Elle est là l'impuissance des publicitaires et autres spécialistes du marketing politique. Qu'aurait valu le symbole « croix de Lorraine » sans quelques actions d'éclats qu'il porta et qui le portèrent jusqu'à nous ?

La symbolique politique en somme est un tout indissociable d'images et d'actions ; une dynamique à deux pôles, un pôle imagier, un pôle opérationnel.

Opposés, ils se nourrissent l'un l'autre. Pour le comprendre, il nous faut partir de la crise de la représentation.

III. — **La symbolique politique est un remède**

Car la symbolique politique n'est jamais qu'un remède, on pourrait même dire un placebo, à la crise de la représentation politique. Si les institutions en place assuraient réellement la présence du pouvoir en nous, dans nos actions quotidiennes et dans nos cœurs, il n'y aurait nul besoin de symbolique politique. Nous élirions nos députés, notre président, ils accompliraient en toute clarté le travail que nous leur avons délégué, sûrs de représenter nos opinions stables et homogènes, cohérentes, éclairées, compatibles et précises en tous domaines. Mais ceci n'est qu'un mauvais roman.

La réalité est ailleurs, en des opinions évolutives, fragmentées, enchevêtrées, peu claires, imprécises. Mieux encore, un même individu peut exprimer des avis différents selon les objets qu'on lui présente, ou des choix incompatibles. Elle est là, notre liberté, qui revendique l'incohérence. Le prix à payer ? L'irrespect du régime représentatif, la crise des pouvoirs intermédiaires et éclatés, l'illisibilité d'institutions sédimentées, enchevêtrées. Le remède ? La remise en ordre de la symbolique politique qui proclame haut et fort que si nous ne marchons pas d'un même pas, nous marchons d'un même cœur.

Mais pour préciser la nature et la portée de la symbolique politique, il nous faut d'abord énoncer les caractéristiques de la crise de la représentation.

IV. — **La crise de la représentation**

Lorsque le représenté investit le représentant de sa confiance, il le fait en un temps X. Lorsque le représentant agit pour le compte du représenté, il le fait en un temps Y. Entre ces deux temps, un décalage. Si minime soit-il, il peut être source de perversions multiples. Qu'est-ce qui peut jamais garantir que l'action des représentants coïncide avec la volonté initiale des représentés ? Question plus grave aujourd'hui et que Rousseau n'avait pas imaginée : un deuxième décalage de temps apparaît entre le moment de la conception des représentants et celui de l'exécution de leurs agents. Ce deuxième décalage distancie encore les deux volontés des représentés et représentants. Citoyens et hommes politiques, technocrates des administrations centrales et savants, constructeurs inavoués de normes gouvernantes et, dernier chaînon, agents d'exécution qui font passer le tout aux citoyens, sont liés dans la chaîne représentative en un magistral feed-back. Théoriquement ce feed-back opère sans dérivations ni déplacements, sans distorsions, sans douleurs : les représentants sont neutres et transparents et assurent la fidélité des actes politiques et administratifs aux aspirations des citoyens qui ne retrouvent en fin de course que la traduction de leurs désirs. Mais on sait qu'il n'en est rien.

Les luttes centre-local. — Que se passe-t-il du côté du temps ? Les instances centrales représentantes aggravent le décalage temporel en multipliant les instances de représentation et les instances techniques. Elles déplacent sur le champ spatial les difficultés temporelles. En superposant et en enchevêtrant les organigrammes, elles croient pouvoir assurer une meilleure représentation et une plus grande transparence. Elles oublient que le temps se venge : en multipliant les espaces, elles multiplient les suspens du temps, les distorsions et trahisons de toutes sortes. L'objet représenté bafoué revendique alors une meilleure représentation. S'il n'y parvient pas, il s'insurge et préfère assurer de lui-même la représentation de son propre temps. Il ose se poser en sujet indépendant. Il devient en somme séditieux. La Corse, la Bretagne, l'Occitanie illustrent le propos.

Car la chaîne représentative n'est maintenue à l'existence que si l'objet local, le représenté, vit, résiste, et demeure autonome, partiellement séparé des autres. Un effort contradictoire se développe alors dans la réalité des stratégies gouvernantes : reconnaître l'existence des objets locaux, la fortifier, et développer les différences, mais en même temps maintenir l'unité antiségrégative de l'ensemble. Nécessité de parcelliser et de retotaliser, nécessité de réduire les distances spatio-temporelles et d'en maintenir toujours vivant le germe.

Voilà deux tendances contraires difficiles à concilier. L'idéal serait que les objets locaux se reconnaissent différents et autonomes, alors même qu'ils sont parfaitement intégrés à la totalité représentative. Les fêtes locales, l'artisanat local, les chansons, l'accent langagier, les danses folkloriques et les activités sportives servent alors à promouvoir cette illusion[2].

Il s'agit bien là de symbolique sociale et politique destinée à unifier les sociétés fragmentées, éclatées. Et ce qui est vrai des rapports devenus incertains du local et du central, l'est tout autant de la légitimité devenue ambiguë des institutions républicaines cen-

---

2. Sur tous ces points, *L'objet local*, colloque (coll. « 10/18 »).

trales, ou des politiques sociales qui ne savent pas toujours éviter l'exclusion.

De nombreuses théories juridiques — celles de Duguit, Esmein, Carré de Malberg[3] — tentent de montrer qu'il existe un circuit de confiance entre le citoyen et l'agent d'Etat qui le dirige. L'agent administratif serait un exécutant des volontés du représentant politique, qui disposerait de l'autorité suprême parce qu'il représenterait (vaudrait pour) le prince, c'est-à-dire le peuple et la nation des citoyens. S'inscrivant dans les analyses de Rousseau, ce circuit de confiance est purement supposé.

Car les pratiques politiques illustrent surtout un circuit de défiance.

V. — Pratiques politiques et circuit de défiance

1. **Le député.** — Le circuit est perverti depuis son chaînon de base, le député. En lui, deux tendances travaillent. La première, très classique, se révèle dans son activité de représentation. Elu de sa circonscription, il représente la France entière. En référence à la théorie philosophique de la représentation, on dira qu'il représente « le petit objet », circonscription, en même temps que « le grand objet », le système représentatif dans son ensemble. Deux représentations en surimpression. Il représente auprès du national des intérêts locaux qui n'ont de valeur et de sens qu'en tant que microcosmes nationaux. Il représente auprès du local les grandes tendances nationales qui doivent impérativement s'enraciner sous peine de disparaître.

Opération magique de transmutation, de transsubstantiation qui fait de cet élu local un élu national, qui fait de ce représentant national le porteur des

---

3. Voir Lucien Sfez, *L'Enfer et le Paradis*, PUF, p. 21 et s.

intérêts locaux nationalisés. Passage magique dans les deux sens, d'un code à l'autre.

Mais aujourd'hui, la croyance dans sa puissance démiurgique s'est affaiblie. Le poids de l'Exécutif, la solidarité et les conflits économiques et politiques des nations, l'influence des mass media le réduisent à un rang plus modeste. N'y a-t-il pas de meilleurs représentants ? Depuis le journaliste jusqu'au Président de la République, en passant par les partis, les syndicats, les groupes de pression, les banques d'affaires : autant de représentants, c'est-à-dire de traducteurs actifs et efficaces des aspirations multiformes des citoyens. Le député éprouve donc souvent le besoin de trouver d'autres terrains pour asseoir son pouvoir. Il devient alors représentant... de commerce, agent d'affaires. Il lie entre elles des structures décisionnelles locales (collectivités locales et promoteurs, par exemple), et structures locales et structures nationales (chaîne de liaison avec les pouvoirs publics centraux et les grandes banques).

Mais si le député devient agent d'affaires ou manager il est alors échangeable, soit à l'intérieur de sa catégorie (un député d'une circonscription voisine dans la même région jouera le rôle d'intermédiaire non rempli par le député de la circonscription originaire), soit d'une catégorie à l'autre (un journaliste influent, un syndicaliste paysan ou ouvrier, un patron écouté, un président de Caisse de Crédit agricole joueront le rôle du député défaillant). Assurant effectivement la liaison du local et du national, l'agent d'affaires, acteur engagé dans des actions multiformes, trouble la transparence recherchée, la neutralité voulue du représentant politique. Le député n'est donc plus chaînon dans une chaîne de communication. Il devient opaque, crée du bruit dans la machine, distord, distend, déplace, et crée plus qu'il n'écoute les aspirations de ses électeurs.

2. **Le ministre.** — Formellement, il représente le président qui l'a désigné. Matériellement, il participe de l'activité présidentielle et ne prend sens que par elle. Le ministre va aider le président à élaborer des scénarios, des « images symboliques » qui permettent de recoder les signes dispersés. Ainsi d'une nouvelle politique du logement, du remembrement rural, d'une analyse de la crise économique, de la place de la France dans le monde, d'une dramatisation de la violence et des réformes des appareils de répression et de justice. Les mass media sont remplis de ces nouveaux scénarios à cadence bi-annuelle, automne et printemps. A la différence du parlementaire et parce qu'il représente le président et participe de sa fonction symbolique, le ministre n'est pas échangeable. On peut bien changer le ministre. On ne peut pas changer sa fonction. Un non-parlementaire peut se substituer à un parlementaire dans ses tâches de représentations locales. Un non-ministre (un banquier, par exemple, ès fonctions) ne peut se substituer à un ministre dans cette tâche de création symbolique. Le ministre est déjà dans la zone irréductible de la référence, du référent. Il aide à élaborer la métaphore politique activante et polyvalente. Il est suffisamment ambigu pour être la cible projective des désirs les plus divers, des intérêts les plus contradictoires. C'est précisément ce qui permet au ministre de remplir ses métaphores de toutes les marchandises échangeables et de toutes les stratégies les plus fluides des agents d'affaires. Il accomplit, infiniment mieux qu'un député, la fusion de l'économique et du politique et le passage magique de l'un à l'autre.

3. **Le président.** — Il est — doit être — l'ambiguïté faite homme. Le président, lui, ne représente plus. Il n'est plus là « pour » quelque chose ou « pour » quelqu'un. Il ne peut représenter le système de représentation puisqu'il faut qu'il le fonde. Parlementaire et ministre, pour des raisons différentes, sont logés dans l'ordre du *discours*. Le président, lui, est la *figure*. Fonction symbolique caractérisée par son apparent statisme. Il ne crée pas l'image symbolique qu'il incarne, car il incarne le pays tout entier. Il incarne la fidélité, la sécurité, la continuité, tout le passé et même l'avenir. Il est, sinon le drapeau national, du moins le porte-drapeau. Il totalise, sans effort, sans construction préalable apparente. C'est ce que l'on veut dire lorsqu'on affirme qu'il n'est pas en première ligne (alors que le Premier ministre l'est), qu'il ne s'use pas ou ne doit pas s'user (puisqu'il est là pour sept ans). Sa fonction est d'assurer la pérennité des êtres et des choses. Il est le grand Abri qui permet l'Histoire.

Enfin, il interpelle directement, sans passer par les représentants parlementaires, les individus dans leur singularité, chez eux, « au coin du feu ». Il leur écrit, leur parle, dans une intimité qu'il peut recréer à loisir. Le rapport du Président de la République au local est spécifique de la fonction présidentielle. Parmi tous les objets de la panoplie politique — la France, la Nation, le Peuple, la Culture — l'objet local semble le plus perdu de tous. Il nous est donc restitué le plus fictivement, le plus symboliquement par celui qui a la charge suprême de gestion des symboles : le président. Cette super-figure, cependant, n'est pas tombée du ciel, on s'en doute. Il y a bien eu fabrication. Fabrication des images et des figures. Fabrication de l'unité polymorphe incarnée en un corps princier, présidentiel. En bref, il y a eu, précédant les images données en pâture (concorde, unité, société libérale avancée ou la force tranquille), une opération symbolique. Nous y voilà.

L'opération symbolique unifie le dispersé, fait d'un seul coup vivre au même rythme, dans un battement, les éléments disparates qui constituent une nation. Et elle le fait par l'intermédiaire de formules sacramentelles, dans un rite connu de tous, fête électorale, déclaration, monstration. Au sommet, il y a sacrifice rituel (l'autel de la patrie, le « don de ma personne » à la France). Si ces formules grandiloquentes font aujourd'hui sourire, elles sont cependant toujours là, dissimulées sous des figures substitutives et non moins magiques.

La recherche de ces formes, la mise en place d'images telles qu'elles puissent unifier les signes et les transformer en Vérité sont le fait de fabricants d'images symboliques, qui apportent leur concours, de tous les horizons du monde intellectuel, à cette politique de récupération au centre.

Opération symbolique majeure et images symboliques sont au service du système représentatif qu'elles lient. Et dont elles assurent la survie. Dire ceci, c'est bien avouer notre incapacité à sortir du système de représentation. C'est attribuer à l'Etat bureaucratique, certes, une pratique subtile de récupération des signes par un dispositif ingénieux de symbolisation, mais aussi, c'est dire qu'aucun autre dispositif connu n'est arrivé à s'en échapper. Reste à préciser cette notion complexe de « politique du symbole ».

VI. — La politique symbolique

On analysera ici les deux aspects de cette politique symbolique, c'est-à-dire l'opération symbolique et les images symboliques (1) et le rôle des médias (2).

1. **Opération symbolique et images symboliques.** — Nous retrouvons sous forme d'opération symbolique, actuellement, des opérations magiques de recohésion d'un ensemble dispersé. Magie de la parole du chef se donnant pour la nation. Magie de la parole-acte d'un de Gaulle affirmant la territorialité de la France sans territoire, et efficace de cette parole. Dire : « Nous ne sommes pas vaincus », c'est effectivement refuser la défaite, territorialiser ailleurs. Refaire l'unité nationale. Désigner un ennemi. Continuer à se battre. Présenter la partie pour le tout. Autre opération symbolique : Beaubourg, ou la culture nationale. Erection d'un monument pour lutter contre la dispersion des mentalités. Reterritorialisation en un point où vient se confondre tout ce que les images du passé peuvent apporter à la conscience de l'unité. Essai de recodage au centre. Annulation des scissions ? « Ici, dit Beaubourg, la dissension ne passe pas. » Efficace de l'opération : les passagers se pressent à l'assaut de la forteresse Art. Tous y viennent.

Fabricants de cette opération : à la fois les chefs magiques dans des circonstances graves, à la fois les Partis-Princes et les communions locales des groupes, à la fois des fabricants d'images qui offrent la possibilité d'investir sur des images ambiguës, polymorphes, polyvalentes. Images enchantées. Qu'elles soient attirantes ou repoussantes, elles ont toutes un même effet : recoller les morceaux pour en faire une totalité. Les images symboliques sont bien cette surface de projection livrée aux interprétations singulières, surface qui a le double objectif d'induire des liaisons avec des éléments épars, et de les condenser en un point.

2. **Le rôle des médias.** — Ces opérations, proprement magiques, empruntent aujourd'hui les canaux

mass-médiatiques. Tel événement auquel nous assistions en présence (match de foot-ball ou attentat), nous y assistons désormais en direct. Toute la falsification médiatique tient dans ce glissement de la présence en corps au direct. Car le « direct » n'est jamais transparent. Transmis aux heures voulues par le diffuseur, en des images sélectionnées par la prise de vues puis par la direction de l'information, images assorties de commentaires orientés eux aussi. Qu'y a-t-il de commun entre la présence réelle du public polonais à l'opération symbolique communielle du voyage du pape en sa Pologne natale, dans un environnement de privation et de menaces policières, et le spectacle qui nous en est donné, au chaud de nos pantoufles en nos salles de séjour occidentales ? Dans un cas purgation des passions sur le modèle de la dramaturgie grecque, dans l'autre un regard de consommateur jouisseur, repu, attendant le prochain *Dallas* ou la météo du lendemain.

C'est dire que les médias cassent la symbolique jusqu'à lui enlever toute puissance. C'est dire aussi que la symbolique qui suppose un échange fusionnel avec le monde, exige une présence réelle du corps, du sang et des larmes, et nous place virtuellement, mais toujours, en position de choix entre la vie et la mort. Meurt-on pour un tableau de croissance ? Sûrement pas. Meurt-on pour des valeurs enracinées dans nos mémoires, exprimées quotidiennement dans nos pratiques. Sans doute, s'il le faut. Mais au contraire, ces médias qui privilégient tel événement ne nous présentent jamais que des images toujours variables, renouvelées aussitôt qu'usées. Images du prêt à jeter, aux antipodes des images de la politique symbolique, rarement interchangeables, au service de référents symboliques immuables ou à évolution très lente.

La symbolique politique est donc très loin du marketing. Il ne s'agit pas d'images qu'on pourrait façonner à loisir, livrer au public et répéter jusqu'à la vente d'un produit. Il s'agit *d'anciennes mémoires* sédimentées par le temps et que les *théories politiques* transportent dans leurs cales (chap. I).

Ces anciennes mémoires ne « prennent pas » aujourd'hui par des moyens magiques, mais parce qu'un événement les réactualise : des intérêts en conflit, des blessures ou une mort jouent alors un rôle de déclic ; encore faut-il que ces mémoires, images ou opérations de fusion soient incarnées par des énonciateurs crédibles qui ont su acquérir un capital symbolique suffisant dans la même direction. C'est à ces conditions que *les pratiques symboliques politiques* deviennent efficaces (chap. II).

Mais théories et pratiques sont aujourd'hui menacées par une communication sans visage, dont l'odeur est l'argent, dont la stratégie se nomme marketing, qui déverse des tonnes de messages répétés et brouillés, dilués jusqu'à l'écœurement et qui finissent eux-mêmes par délirer, tournoyer sur eux-mêmes jusqu'à l'impuissance, le marketing tuant le marketing. Que peut faire alors le politique ? Disparaître sans murmures, protester, affecter l'indifférence ou « prendre » à nouveau, en de nouvelles formes ? C'est la question de l'avenir de la symbolique politique qui se trouve posée (chap. III). Nous étudierons donc successivement en trois chapitres :

— Les symboliques des théories politiques (chap. I) ;
— Les symboliques des pratiques politiques (chap. II) ;
— L'avenir de la symbolique politique (chap. III).

Chapitre Premier

LES SYMBOLIQUES DES THÉORIES POLITIQUES

On exposera ici des éléments d'anciennes mémoires portées sans doute par des livres difficiles, peu lus, mais très souvent cités et dont nous connaissons en fait les éléments prédigérés par l'école communale, l'écoute d'un discours présidentiel, la référence à la Constitution, le service militaire ou toute occasion de parler en communauté.

LES BIBLES DU POLITIQUE

Qui ne connaît la Cène et la communion, même dans un pays déchristianisé ? Qui n'a pas — au moins vaguement — entendu parler de la souveraineté nationale ou populaire, de l'histoire et de la critique de nos anciennes monarchies ? De Montesquieu et de Rousseau ? Qui n'a jamais entendu parler de la lutte des classes ou de l'autogestion ? Et de tous nos ancêtres révolutionnaires barbus ?

Nous connaissons — sans les connaître — ces thèmes bariolés qui font bouger nos opinions, les font encore frémir. Ce chapitre est dédié à ces Bibles que plus personne ne lit, mais auxquelles chacun se réfère dans le prétendu secret de ses opinions capricieuses. Telles sont les bases les plus fondamentales de notre symbolique politique. On décrira ici successivement l'ancien tour de passe-passe catholique (I), les symboliques classiques de Montesquieu, de Rousseau et de Marx (II), le consommé instable qui se nomme autogestion (III), avant de conclure sur les deux stratégies distinctes de l'opération symbolique et des images symboliques (IV).

I. — Un très ancien tour de passe-passe

Il s'agit de présenter le signe pour la chose elle-même, la partie pour le tout, et de compenser l'irrémédiable absence des choses essentielles (Dieu, la nature perdue, la France éternelle ou la « vraie » Amérique) par des « tenant lieu de », des « valant pour » qui évoquent la chose elle-même et l'appellent. Il nous faut bien comprendre et admettre que le modèle même de cette démarche où s'originent les théories politiques occidentales et la plupart de nos pratiques les plus solennelles et les plus banales, se trouve dans le christianisme. Non dans le judéo-christianisme, mais bel et bien dans le principe chrétien de la communion eucharistique et de la grâce. Comment cela ? Les théories de Port-Royal illustrent particulièrement le propos, qu'elles situent dans le contexte d'une critique de la représentation.

De quoi s'agit-il ? De brancher les signes humains, temporels, arbitraires, sur un fonds de vérité irreprésentable et de les lier fortement, en somme d'effacer la distance entre le représentant et le représenté. Cela, seule le peut une opération dont Port-Royal fait la théorie : *l'opération symbolique,* considérée comme remède à la représentation arbitraire des signes par des signes.

1. **La théorie du signe et la représentation.** — La « logique ou l'art de penser » met en place les élé-

ments d'un système de représentation des « idées »
par des signes, et des choses par les idées. Nature
et raison se trouvent liées par le langage, instrument
obligé de leur accord. En effet, « quand nous pensons
seuls, les choses ne se présentent à notre esprit qu'avec
des mots dont nous avons coutume de les revêtir
en parlant aux autres, de sorte qu'il est nécessaire
de considérer les idées jointes aux mots et les mots
joints aux idées »[1].

Ce schéma de la représentation qui ne prend en
considération que l'articulation abstraite des signes
et de leur référent, nécessitant une simple surveillance
épistémologique, se heurte pourtant à deux sortes de
difficultés, les unes tenant à la cohérence intellectuelle
interne du système, les autres à ses liens subtils avec
le sociopolitique.

A) *La cohérence intellectuelle.* — Sur le plan de
la seule articulation linéaire qui ne fait intervenir
que le rapport intellectuel de la chose au signe, on
remarque d'abord que lorsqu'on donne un nom conve-
nable à une idée, cette idée n'a pas nécessairement
un référent-chose réel. Ou encore de ce que la définition du nom est correcte, il ne s'ensuit pas que
la chose correspondante existe. Ainsi de la chimère.
Je peux la définir, mais elle n'existe pas. Le doute
qui règne entre idée et signe se répercute sur la liaison
chose-idée.

En d'autres termes, si nous voulons contrôler qu'il
s'agit bien de la chose, que le passage de la chose
à l'idée et de l'idée au signe s'est opéré régulièrement,
nous n'avons d'autre moyen que politique. C'est-à-
dire qu'il nous faudra pour le savoir entrer en communication avec les autres et œuvrer avec eux dans des

1. Arnaud et Nicole, *La logique ou l'art de penser,* Ed. critique, présentée
par P. Clair et F. Girbal, PUF, p. 38.

pratiques communes. Le critère sera là et non ailleurs. C'est ici que gît le second ordre de difficulté.

B) *Le lien avec le sociopolitique*. — Dans le rapport linéaire et intellectuel du signe à ce qu'il représente se glisse donc une figure étrangère : celle des rapports de force sociopolitiques. La communauté de ceux qui parlent, les institutions autorisées qui interviennent. Au point de vue des signes, on peut imaginer d'aller de l'arbitraire le plus total à une sorte de corrélation nécessaire et autorisée par le consensus.

Quatre systèmes possibles :

1) L'homme isolé peut se faire son dictionnaire, c'est-à-dire user des mots pour désigner des idées, à son bon gré. En ce cas, il peut soit user du mot de sa fabrication pour définir correctement une chose, soit en user pour définir incorrectement. Mais l'homme n'est jamais isolé. Il vit « politiquement », il use des mots du monde, de tout le monde.

2) Il peut en user incorrectement et a le devoir de se corriger. Ce à quoi sert « l'art de penser ».

3) Il peut en user correctement mais pour un bénéfice mondain, en se coupant de la société morale et de la vérité de sa raison.

4) Enfin, il peut user correctement des signes, conformément à l'usage commun, mais en visant par là non pas la vérité de sa propre raison mais la vérité divine. La politique, alors, devient véritable morale et les degrés de la représentation deviennent degrés de la grâce. Du moins au plus, la hiérarchie n'est pas seulement intellectuelle, elle est aussi morale. L'homme isolé peut errer. L'homme isolé peut ne pas errer. C'est mieux. Mais l'homme qui vit en société peut errer. Dans ce cas il peut être corrigé. Situation préférable à celle de l'homme isolé, dans l'erreur, et qui ne pourra se corriger. Une assemblée

d'évêques dans l'erreur est préférable à l'infaillibilité d'un seul (le pape). Dans ce cas l'opinion est commune, sert les frères. *Uti et non frui.* Etant construite en commun, elle peut d'ailleurs facilement se corriger. Enfin, degré supérieur dans la grâce, l'homme en société qui n'erre pas.

C) *Le représentant.* — Soit les sacrements et le plus grand d'entre eux, le sacrement de l'Eucharistie. Ce sacrement, et tous les sacrements en général, est vital pour la théorie de Port-Royal. Il est la clef sur laquelle reposent les deux axes de la représentation, gage de l'unité de l'ensemble. Il assure la réversibilité des deux faces du signe : la chose figurée peut devenir sa figure. Pain et vin deviennent réellement le corps et le sang du Christ, tandis que la chose invisible (corps et sang du Christ) prend les apparences de ce pain et ce vin. Echange symbolique, *ex opere operato*.

Et là on retrouve, mais sur un mode plus ample, l'obligation de recourir aux institutions. La parole du prêtre rend l'opération possible. Il a seul le pouvoir de transformer le signe en chose, de renverser l'ordre de la représentation, de « consacrer » le signe, c'est-à-dire de lui conférer le pouvoir salvateur. Déjà le consensus collégial authentifiait l'emploi des noms et rendait l'arbitraire moins total. Mais plus encore ici : les instances religieuses représentantes médiatisent la vérité divine en *produisant* la réalité de l'équivalence chose-signe. La logique est inséparable de la morale. L'entendement est indissociable de la politique.

Ce n'est pas le pape qu'il faut respecter (erreur des jésuites), ni le prince (erreur protestante), mais Dieu. De même dans les rapports à l'Eglise : l'infaillibilité ne se loge ni dans le pouvoir d'un seul — le pape — ni dans le pouvoir de chacun, libre interprète des Ecritures, mais dans la collégialité conciliaire.

2. **Le modèle politique de Port-Royal.**

A) *Une monarchie parlementaire.* — Reprenons ici sous cet angle de vue quelques éléments essentiels du système de Port-Royal. Son idéal d'organisation exclut à la fois l'infaillibilité du pape et celle des fidèles. Il souhaite promouvoir le corps des évêques, carrefour de toutes les poussées. Sa monarchie ecclésiastique idéale est parlementaire. L'Eglise comme constitution. Un de ses principaux arguments contre les protestants réside dans l'anarchie dangereuse qu'ils provoquent en fondant la légitimité du pouvoir (dans l'Eglise et ailleurs) sur le peuple. Ils sont par là des ennemis dangereux des lois du royaume. L'inégalité ne choque pas les jansénistes : la hiérarchie qu'elle implique et entraîne est un contrepoids nécessaire à la souillure de la chute originelle. L'inégalité hiérarchisante encadre heureusement les désordres. Ils sont hostiles à tout despotisme, d'où qu'il vienne. Seul le corps intermédiaire des évêques, incluant le premier d'entre eux, peut dégager la vérité. La vérité politique de l'Eglise est commune. Elle se dégage par des délibérations collégiales. La vérité est produite par des évêques décentralisés, mais assemblés en corps, et comme confédérés. C'est la représentation ecclésiale qui permet seule le bon fonctionnement de la société ecclésiastique.

B) *Une théorie générale de la représentation.* — Une théorie de la représentation cernée par la théologie et la politique, tel est donc le système de Port-Royal. Le système de signes exclut par avance qu'un signe soit privilégié. Nul signe ne se détache pour dominer l'ensemble. Le seul qu'il soit possible d'invoquer est d'une autre nature, il n'est pas un signe, mais le symbole eucharistique. Il n'est plus dans la chaîne représentative, intellectuelle, mais en dehors, et son opération est mystérieuse et doit le rester.

Le symbolique ici nourrit la représentation, n'est pas séparable d'elle. De même, on le verra, les purs spontanéismes sont logés et encastrés dans des systèmes de représentation. La logique de Port-Royal entend gouverner les deux pôles. Elle marque toujours les théories politiques en apparence expressives ou en apparence représentatives. Son gouvernement est assuré par l'opération symbolique. Mais n'oublions pas : cette opération suppose un opérateur, un intermédiaire, un représentant. Remarque capitale ici : tout est lié. Les images symboliques du côté du langage humain illustrent l'opération centrale, symbolique, qui retourne les signes vers leur lieu de vérité.

En d'autres termes, depuis le XVIIIe siècle et avec la modernité, le tour de passe-passe magico-religieux va continuer, mais dans des conditions d'une très grande complexité d'un trop grand raffinement, qui tendront à entraîner son usure, voire sa disparition.

II. — Les politiques classiques

Dans la religion traditionnelle, opération symbolique et images symboliques étaient indissociables, les images illustrant l'opération, l'opération cristallisant les images, leur conférant valeur et vérité. Liaison immédiate et totale du signe et de la chose.

Plus tard, une fissure, voire un fossé apparaissent. Signe et choses, images et opération, se détachent les uns des autres. Trois politiques classiques se dégagent. L'une — celle de Montesquieu — va insister sur le signe et l'image symbolique. L'autre — celle de Rousseau — va insister sur l'opération symbolique de fusion avec la Vérité. Une troisième enfin, celle de Marx, va tenter de lier les deux à nouveau, mais au prix d'une nouvelle mystification, à l'insu même de son auteur.

1. **La politique imagière de Montesquieu.** — Le schéma de Port-Royal semble ici inapplicable, puisque, par principe, Montesquieu évacue toute référence à la Vérité divine. On ne comprendra rien à la politique, dit-il, si on continue à confondre fait moral, jugement religieux et « fait » tout court. Le fait tout court peut être soumis à une description qui permet l'étude de sa raison, de son « Esprit » ou encore de sa loi. Attitude scientifique en accord avec les sciences physiques naissantes du XVIIe et XVIIIe siècle. Si *tout* est à étudier, il n'y a pas de bon ou mauvais fait.

La nature est dans la sociabilité naturelle elle-même et celle-ci malheureusement se corrompt. Il lui faut donc d'abord expliquer comment la nature se dégrade. Il lui faut ensuite compenser cette dégradation par l'accumulation d'*images symboliques,* grâce au miroir de la science politique.

A) *L'histoire absente.* — Statut de l'histoire chez Montesquieu ? L'histoire est simple dégradation de la loi naturelle. Les lois positives peuvent réduire cette dégradation. Elles tendent à nous ramener à la bonne société de nature, initiale, pervertie par les faiblesses humaines.

« La monarchie authentique, c'est un état violent qui dégénère toujours en despotisme ou en république[2]. » La démocratie ? Elle est seulement possible

2. *Lettres persanes,* p. 102.

dans une petite société, mais le bonheur des Troglodytes favorise leur multiplication et entraîne leur perte[3]. Ces thèmes des *Lettres persanes* se retrouvent dans *Considérations sur les causes de la grandeur des Romains et de leur décadence*. La grandeur des Etats est la première *cause* de leur déclin. L'excès de prospérité est une faute. La tâche d'un bon gouvernement conseillé par la toute naturelle science politique est de freiner certaines évolutions, d'accélérer certaines alliances solidement conservatrices et libérales. *L'Esprit des lois* suit la même logique. Même la constitution anglaise se corrompra : « Comme toutes les choses humaines ont une fin, l'Etat dont nous parlons perdra sa liberté, il périra. Rome, Lacédémone et Carthage ont bien péri... »[4] Le pessimisme conservateur justifie bien sa méfiance à l'égard du peuple, éclaire la théorie de la représentation politique. Peuple incapable de discuter les affaires, seulement capable d'élire des représentants. A ces représentants élus doivent être associés — dans un corps à part — des représentants... « distingués par la naissance, les richesses ou les honneurs »[5]. Et si la séparation des pouvoirs est là pour assurer un équilibre des puissances au profit de la féodalité, c'est qu'il s'agit bien d'*une théorie et d'une pratique de la théorie* non progressiste mais réparatrice, colmateuse de brèches, régressive.

B) *Les images symboliques réparatrices*. — Cette pensée en forme de système qui pose la limite comme condition de son existence même et ne supporte que de menues transgressions a pour instrument de cohésion une forte image symbolique. Quand aucune force

3. *Ibid.*, p. 114.
4. *Esprit des lois*, liv. XI, chap. VI.
5. *Esprit des lois*, liv. XI, chap. VI.

dynamique ne porte la vie politique vers son dépassement ou sa transformation, quand aucune opération de transmutation des valeurs ne vient faire croire à un changement, la force qui reste au système en place pour se maintenir en état d'équilibre et qui ne peut — d'après les présupposés mêmes — venir que des faits positifs, c'est celle de l'image symbolique qui considère, rassemble et fortifie le modèle en place.

Du temps de Montesquieu, la nature de la monarchie ne fait plus corps avec son principe. Déclin de la monarchie, déclin des forces qui la soutiennent. La bourgeoisie très intégrée à l'appareil d'Etat hésite[6]. Ses représentants littéraires vont bientôt lui prouver que son intérêt à long terme est ailleurs. Il faut la rassurer, lui parler un langage compréhensible pour elle, qui lui serait commun avec la féodalité. Alliance nécessaire de la bourgeoisie et de la noblesse. Le président rêve d'un monarque conseillé par la science positive, la science des faits, qui par ses images successives et coordonnées peut associer la frugalité et le luxe, commerçants laborieux en position d'ascendance sociale et qui doivent rester, même riches, des frugaux, et les nobles luxueux, mais dont le luxe s'égare parfois et qu'il faut ramener par une vie plus austère aux grandes tâches de régulation politico-économique. Les commerçants à leurs affaires, et les nobles « aux Affaires ». Les uns se servent des autres et associés dans la personne du roi. L'accumulation d'images symboliques sert cette politique qui peut se définir d'un mot : fortifier le corps symbolique de la monarchie en perdition. Ce corps d'images collectives puisées ailleurs et simplifiées : dans l'histoire de Rome, mais aussi *a contrario,* celle des Grecs,

---

6. Voir Porchnev, *Les soulèvements populaires en France au XVIIIe siècle,* Flammarion.

des Barbares, des Huns. Des « ailleurs » spatiaux également : l'Angleterre embellie, la Russie, la Turquie dépréciées. L'image monarchique récupère alors en son centre les oppositions. Comment autrement présenter un luxe frugal, une agriculture commerçante, une extension de territoire mais limitée, une puissance freinée et freinante (le souverain), un frein-moteur (la nature sociale) ? Les ingrédients de l'image sont une surproduction d'éléments descriptifs de grandeur, d'honneur, de force, de prudence, de bonheur. Sursymbolisation produite par l'analyse pour remédier au défaut de symbole[7]. L'image symbolique est liaison fortifiée des contraires, pluralisme, mythe.

Ainsi de son *Histoire de la monarchie franque* dont l'importance stratégique nous échappe aujourd'hui : il fallait montrer au monarque du XVIIIᵉ siècle la nécessité de reconnaître à la noblesse une position supérieure dans l'Etat. Montesquieu l'enracine alors dans l'histoire franque. La monarchie franque c'est la fusion harmonieuse des deux pôles de la Gaule. Le pôle gallo-romain, le droit écrit, l'Eglise, l'excès de représentation, et le pôle des Germains, barbares venus du Nord et de l'Est, souvent turbulents, agressifs, anarchiques mais égalitaires et vivant en petites communautés chaudes, de base. Les premiers rois francs fusionnent les deux pôles, prennent à chacun son versant positif en écartant le versant négatif. Il est là le véritable début de l'histoire de France. Elles sont là les premières assises de l'Etat. La monarchie, pour vivre et survivre, doit conserver l'esprit de cette fusion harmonieuse. Or la noblesse du XVIIIᵉ siècle descend directement de ces rois francs, et des hauts feudataires qui les entouraient, les défendaient et for-

---

7. Sursymbolisation typique de certaines pratiques systémiques des gouvernants. Voir Barel in *La reproduction sociale*, Anthropos.

geaient avec eux un avenir glorieux. Ne touchons surtout pas à la noblesse. Mieux : plaçons-la aux postes les plus éminents, et la monarchie sera sauvée...

Forte image symbolique, attractive. Peu importe la critique des historiens d'alors et d'aujourd'hui. Fondée sur une mémoire symbolique stockée en séries, la science politique de Montesquieu ne constate pas seulement des faits. Elle est elle-même normative. Politique[8].

2. **L'opération fusionnelle de Rousseau.** — A la différence de Montesquieu, qui se méfie de la recherche des origines et des vérités totales, Rousseau, lui, s'y engage résolument. Semblable à celle des Messieurs, la politique de Rousseau ne peut se passer d'une opération symbolique, qui fasse passer magiquement l'individu pervers sur le versant naturel du signe.

A) *Transformation du schéma de Port-Royal.* — Le hiatus n'est plus entre surnature et nature mais entre nature et culture. Un problème nouveau et essentiel : le décalage entre nature et culture mène à poser la question de l'origine et de la dégradation de l'origine au monde moderne. Le schéma de Port-Royal était synchrone. Le schéma de Rousseau est diachronique. Une diachronie de la dégradation, de la dépravation, de la perversion de l'égalité naturelle, originelle, fondatrice, irreprésentable, peu à peu transformée en inégalité sociale, produite par l'histoire, nourrie par le système de la représentation. Nouveau hiatus qu'il faut combler. A nouveau hiatus, nouvelle

---

8. On peut utilement comparer la politique de Montesquieu et de Ricardo. Si Montesquieu produit une politique imagière, Ricardo produit une politique du signe. Ils sont du même côté, loin de la recherche d'une vérité totale, mais réformateurs, pessimistes, positivistes. (Voir *L'Enfer et le Paradis, op. cit.,* p. 148 et s.)

opération symbolique qu'il faut inventer : la Loi. Conséquences : la laïcisation des attributs de la surnature. Pour assurer la liaison de la vérité au signe, Port-Royal use de l'opération symbolique et de son instrument, les sacrements. Pour assurer ce passage, Rousseau use de la Loi « Sainte » traduite en Contrat. « Le corps politique ou le souverain ne tirant son être que de la sainteté du Contrat... »[9] Cette union effacera des millénaires d'inégalité pour retrouver l'égalité originelle. La Loi Sainte comble le fossé diachronique. On perçoit ici un *déplacement* important. A la coupure surnature-nature, s'est substituée une coupure nature-société.

B) *La Sainte Loi unificatrice*. — La Loi va joindre les deux versants coupés de l'unité primitive par un lien symbolique. Loi sacrée instituée par la nature, et autorisée enfin par le sacrement des délibérations rejeté sur le forum dans les petits pays, ou sur des élections pour des pays plus grands. Ce lien symbolique présente des caractéristiques particulières, non seulement il est laïcisé, mais il déplace la question du savoir et de la croyance. La voix de la conscience et la voix de la raison ne doivent pas s'exclure. Selon les cas, c'est l'une ou l'autre qui dominera dans le dosage. « Pour bien faire, le père n'a qu'à consulter son cœur... Le magistrat devient un traître au moment qu'il écoute le sien. Il ne doit suivre d'autre règle que la raison publique qui est la loi. »[10] Dans un cas, le cœur l'emporte, mais un cœur raisonné qui sait ce que vaut, doit valoir une famille, dans l'autre la raison l'emporte mais une raison ancrée dans la Loi Sainte. Pour réaliser ce miracle il faut bien percevoir

9. *Contrat social*, Ed. Halwach, p. 314.
10. *Discours sur l'économie politique*, p. 43.

la dualité de la loi, son double versant signe et vérité, raison et cœur, écriture et voix.

Dans le système de Rousseau, la représentation rationnelle n'est pas le mal absolu. C'est son excès qui ruine les choses et la ruine elle-même. Seul moyen d'échapper à l'excès, ne pas imaginer *trop,* ne pas suppléer *trop,* vivre des instants séparés les uns des autres — et pourtant installés dans une chaîne unique de signification. Après un choc, vivre intensément un présent sans mémoire interrompant la chaîne linéaire qui va de la vie vers la mort. Impression d'immédiateté, mais qui ne dure pas plus que la fête réunificatrice du dedans et du dehors, sans objet et sans dépense, qu'il nous propose.

Situons bien ici le problème dans sa perspective politique : ce que Rousseau reproche à la représentation en politique, c'est le décalage qu'elle instaure entre le moment de la délégation et celui des délibérations, entre le moment des délibérations et celui de l'exécution. Ce décalage temporel empêche la coïncidence des gouvernants et des gouvernés. Qui peut jamais garantir que les vœux des gouvernés exprimés en un temps X ne soient dénaturés par les gouvernants en un temps Y ? Si les deux temps pouvaient coïncider, tout danger serait écarté. Rousseau préconise donc des élections fréquentes, et le mandat impératif qui permet au citoyen de révoquer à tout moment l'élu. Voilà bien des procédures, des conventions, lois, qui sont « morales » et qui par là permettent un retour à la morale originelle et naturelle. Ces procédures qu'approuveront Marx et Lénine permettent un retour à la « fête » politique, vers laquelle il faut tendre.

Ainsi, de la coïncidence besoin-travail et du problème de l'argent, dangereux medium. L'argent doit être supprimé ou son emploi très limité. « L'argent est en effet ce dont on ne peut jouir immédiatement et toutes les jouissances qu'il procure sont nécessairement médiates. Un plaisir acquis par le moyen de l'argent n'a plus la pureté de l'immédiat. Il est empoisonné. »[11] Ce qui conduit Rousseau à un éloge du vol, acte sans intermédiaire entre le désir et la possession.

La Loi Sainte supprimera l'argent ou le limitera pour assurer la transparence. Mais quelle transparence ? Celle de la fête fugitive et qu'il faut reconquérir sans cesse, paix joyeuse et simple de l'état un de la société ? Ou encore une autre transparence, celle de la totalité répressive, celle où le tout réprime la partie, où la transparence est un instrument entre les mains du tout pour réprimer la monade isolée ? On perçoit ici sur le vif l'ambivalence de la transparence. Voulue comme fête par Rousseau, elle se traduit bien vite en répression[12].

3. La politique symbolique de Karl Marx.

A) *La mémoire est capitaliste*. — Le seul moyen de réaliser la Révolution est d'en finir avec l'opération symbolique du capital qui fait tenir ensemble les intérêts divers, les classes, les bureaucraties par le moyen de l'idéologie ou capital symbolique qui dominent de manière invisible et se redoublent en images symboliques. Exemple : Quand Napoléon III entre en lice, il ne peut former un Etat qu'en passant par le double opérateur symbolique de l'image et de l'argent. Il lui faut donc prendre l'image de son oncle

---

11. Jean Starobinski, *La transparence et l'obstacle*, Gallimard, p. 132.
12. On peut utilement comparer la politique symbolique d'un Rousseau et celle d'un Adam Smith. Elles se situent toutes deux du côté de la recherche des fondements et vérités dernières de l'opération symbolique. (Voir *L'Enfer et le Paradis, op. cit.*, p. 105 et s.)

Napoléon Ier et l'incorporer. *Hoc est meum corpus*. « Ceci », dira-t-il, désignant l'image, est une chose : première conversion, l'image est devenue chose. Cette chose est moi-même. Deuxième conversion, la chose a un degré d'existence plus grand, elle est cet être concret que je suis.

Mais cette première opération n'est pas suffisante pour lier l'Etat capital et Napoléon III, il lui faut passer aussi par l'argent et il escompte son image en Bourse. *Hoc,* cette image est devenue chose, réalité, processus possible grâce à l'argent, équivalent général qui transforme « la chose Napoléon Ier et Napoléon III » en signe, en élément de circulation pour l'Etat.

Il en va de même pour toute image, toute représentation dans la sphère des idéologies : d'abord sectorisée, corporisée, elle est retransformée en représentation donnée pour réalité totale. C'est là le travail propre du capital dans son double symbolique[13]. La fabrication d'images est devenue le secteur clef du capital qui balaye le champ social de la publicité pour le cirage jusqu'à l'image de marque des hommes politiques, et à celle de l'Etat lui-même.

Or tout ce système fonctionne à la mémoire, une mémoire qui triche, mémoire ennemie.

Quand Napoléon III entend escompter son image en Bourse, ce n'est pas exactement son image qu'il escompte, c'est celle de son oncle. Or déjà celle-là est fausse, tout au moins déplacée par rapport aux événements qui l'ont produite. Napoléon Ier n'était pas populaire auprès des paysans. Les guerres d'Empire ruineuses en hommes et en argent avaient déclenché une hostilité profonde dans le peuple des

---

13. Voir Marc Guillaume, *Le capital et son double,* PUF.

campagnes. C'est la réaction blanche de 1815 qui commence en contrepoint à changer l'image napoléonienne et à l'assigner, sans l'en faire sortir, à son lieu d'origine, la Révolution française. Dans cette image, Napoléon, allié à la Maison d'Autriche, la Maison la plus réactionnaire d'Europe à l'époque, se transmute par une sorte de métempsychose en Bonaparte, général jacobin, ami de « Bonbon », frère de Robespierre, qui prend le pouvoir pour consolider l'acquit de la Révolution. Même les guerres napoléoniennes sont embellies. On oublie les pressions fiscales insupportables et les tueries. On les voit désormais simplement comme la continuation des guerres révolutionnaires, porteuses dans tous les pays des concepts universels de la Révolution. En d'autres termes, quand Marx nous dit que la mémoire déguise, il devrait ajouter qu'elle déguise au moins deux fois : d'abord se déguisant elle-même, elle travestit totalement l'image qu'elle entend projeter sur le présent. Ensuite, et grâce à ce premier déguisement, elle en permet un second : le travestissement du présent lui-même en image du passé. Deux déguisements en un seul : elle déguise le passé, elle déguise le présent. L'oncle n'était pas tel que l'imagerie napoléonienne le décrit. Le neveu n'a rien à voir avec l'oncle. C'est cette condensation de deux images fausses qui produit une image assez forte pour peser sur les consciences politiques en 1848-1850. Mais à elle seule cette condensation ne suffit pas. Il faut condenser davantage et soutenir ces deux déguisements, déplacements, faussetés, par une *réalité,* la seule à l'époque : la Bourse. Nécessité ici de l'escompte et du réescompte.

L'imagerie doit prendre corps, et le seul corps suffisamment solide qui puisse l'incarner c'est la Bourse. L'opération symbolique assure la prise de corps. Ainsi de Bismarck « qui se sentait attiré vers son Bleichreider comme Louis-Napoléon vers son Fould »[14]. « Bleich-reider eût plutôt prêté de l'argent sans intérêts. »[15] Comme la Bourse. Car il ne s'agit pas de faire *une* affaire et de gagner ponctuellement un peu d'argent. Mais de faire *l'affaire* du Capital en politique. La Bourse peut même momentanément y perdre. L'essentiel est que le Capital se reproduise. L'opération symbolique est une opération sans gain. Elle est fusion et clef du système. Et l'opération qui a donné corps à Bismarck a donné corps en même temps à l'unité allemande et donc à la guerre de 1870[16].

On voit ici pourquoi « liquider complètement les superstitions du passé » constitue la première tâche révolutionnaire. Les autres classes en sont incapables, « les révolutions prolétariennes par contre... se critiquent elles-mêmes constamment... jusqu'à ce que soit créée enfin la situation qui empêche tout retour en arrière »[17].

B) *Mais la mémoire revient en communisme.*

a) *Simultanéité et fin de l'autorité.* — C'est bien la transparence totale qui est recherchée dans la société communiste, donc la simultanéité. La lutte contre la représentation passe par une lutte contre le temps, accumulation mémorisée qui tord et distend les messages. Cette recherche est très visible dans les propositions de Marx et Lénine qui recherchent à la fois la simultanéité et la fin de l'autorité.

Exemple : le fantasme de la poste. « Un spirituel social-démocrate des années 70 a dit de la poste

---

14. Engels, *Œuvres choisies*, t. I : *Le rôle de la violence dans l'histoire*, p. 419.

15. *Ibid.*, p. 423.

16. « Et que feront les Allemands ? Je les mène ensuite à Paris et là je les unis », Bismarck rapporté par Engels, *ibid.*, p. 427.

17. K. Marx, *Le 18 Brumaire de Louis-Napoléon Bonaparte*, p. 15 et s.

qu'elle était un modèle d'entreprise socialiste. Rien n'est plus juste. » Toute l'économie nationale organisée comme la poste... sous le contrôle et la direction du prolétariat armé : tel est notre but immédiat. »[18] Ce que ne dit pas Lénine, c'est que la poste est un bon modèle car sa finalité est la communication. Communication immédiate si elle fonctionne bien. Télégramme, téléphone sont des instruments puissants de cohésion sociale dans la transparence. Simultanéité de l'émission et de la réception du message : bon modèle pour la société future, pour « toute l'économie ». Cette idée revient souvent sous la plume d'Engels : « Prenez une usine, un chemin de fer, un navire en haute mer, dit Engels ; n'est-il pas évident que sans une certaine subordination, donc sans une certaine autorité... il est impossible de faire fonctionner aucun de ces établissements techniques compliqués... ? »[19] Engels justifiant la nécessité technique de l'autorité prend toujours pour modèles des instruments de locomotion, de communication. Le navire, le chemin de fer, comme modèles de l'usine. L'autorité est indispensable. Son fondement : la technique. En particulier la technique de la communication.

b) *Mais la mémoire revient.* — La simultanéité se lézarde. D'une part, ces révolutionnaires toujours en lutte contre l'idée de réformes progressives et de transition, parlent bizarrement de la transition qu'assure la dictature du prolétariat. Ainsi Marx dans *Critique du programme de Gotha* explique-t-il que « le droit égal » qu'est le droit bourgeois doit se maintenir dans la première phase. Ce droit égal est inégal et

18. Lénine, *L'Etat et la Révolution*, p. 75.
19. Lénine, *ibid.*, p. 91. Extrait de l'opuscule d'Engels De l'autorité, *Œuvres choisies*, en 2 vol., Moscou, Ed. du Progrès, t. I, p. 681.

bourgeois en ce qu'il applique une règle unique à des individus différents. Il est donc inégalité et injustice.

Or, considérer de telles survivances comme une nécessité des structures de transition est quelque peu contradictoire avec une autre nécessité prônée par Marx dans *La guerre civile en France* : briser la machine d'Etat. Ou on chasse totalement l'idéologie de l'Etat, ou on ne la chasse pas du tout. D'autre part, on remarque la place faite au travail, premier besoin vital de l'homme en société communiste[20]. Travail à rendement élevé, productivité, utilité, rentabilité, autant de notions typiquement bourgeoises, conservées dans la société socialiste.

On remarque également qu'un Marx gestionnaire, approuvé par Lénine, propose de défalquer du produit du travail un fonds destiné au remplacement des moyens de production usagés, un autre pour accroître la production, un autre d'assurance contre les accidents, un autre pour « les frais d'administration qui sont indépendants de la production »[21], un autre destiné à satisfaire les besoins de la communauté, un autre nécessaire à l'entretien de ceux qui sont incapables de travailler. Après, après seulement, le partage individuel (salaire) pourra s'opérer. Lénine approuve chaleureusement cette analyse[22].

Retenir, détourner, accumuler, dériver vers d'autres canaux le produit du travail, tout cela ne rend pas un son très nouveau. C'est la retenue de sens qui revient, le décalage de temps, l'intermédiaire, la mémoire, la représentation qui reviennent.

---

20. C'est un des thèmes de la *Critique du programme de Gotha*.
21. Marx, *Critique du programme de Gotha*, p. 28 et s. Il s'agit là de la 1re phase de la société communiste, à droit bourgeois. La 2e, pratiquement pas définie, est une merveille, bien sûr. Procédé très commode.
22. *L'Etat et la Révolution*, chap. V.

Ces brassées d'idéologies bourgeoises reviennent d'autant plus que les travailleurs qualifiés moins nombreux que les autres ont « formé la base historique des organisations syndicales et politiques de la classe ouvrière... »[23]. Ce qui signifie que les non-qualifiés, les non-cadres, les non-formés sont à la marge.

En d'autres termes, ce peuple plein, totalité organique en interconnexion simultanée, en fait se fractionne ; ces fractions sont cernables et représentables, donc représentées. La transparence devient opaque. La mémoire accumulative est revenue. La représentation est toujours présente.

III. — Un composé instable : l'autogestion

Le socialisme est presque déjà là. Il est en germe dans des petites unités de la société d'aujourd'hui et les pratiques de luttes doivent, dès maintenant, adopter le modèle autogestionnaire Lip. Des milliers de Lip changeront le cours des choses.

1. **Le temps-germe autogestionnaire.** — Le procès n'est plus celui de la lutte des classes, mais de la contamination quasi instantanée. Une autre figure du temps se dessine : ainsi se regroupent les thèmes d'un temps en simultanéité, installé dans le temps historique décisionnel, germe d'un temps à venir qui serait pure transparence (analogie avec la greffe) ; le thème d'un temps de crise ponctuelle pouvant avoir effet de contamination (analogie avec la maladie) ; le thème d'un développement nécessaire du germe dans des conditions qui lui seraient favorables (analogie avec la vie) ; le thème de la vitesse grand V

---

23. Balibar, *Cinq études sur le matérialisme historique*, Maspero, p. 141.

de propagation de l'information au sein du germe lui-même (analogie avec l'ordinateur) ; le thème de la mémoire du germe, souple et vive, qui irrigue le développement qui est constitué de référents historiques épars, Moyen Age, Commune de Paris, Lip, et d'auteurs, Rousseau, Fourier, Locke, Proudhon, Marx (analogie avec le code génétique). On s'aperçoit bien que ces thèmes ne s'accordent pas entre eux.

Le temps-germe en ses trois formes, greffe, implosion, virus, est un temps éclaté en fragments divers. Autant d'unités autogestionnaires, autant de temps différents, autosuffisants, à la dérive. Les trois formes de temps-germe vont du plus linéaire au moins linéaire.

Le temps-greffe, où le germe autogestionnaire est greffé sur un tronc « hétéro », est encore empreint d'une forte dose de linéarité. Les références CFDT à l'idéologie classique de la décision et son refus de spontanéisme en Yougoslavie, le surajout autogestionnaire dans une société socialiste très bureaucratique au départ : voilà des éléments qui amènent nécessairement un organigramme en semi-treillis, c'est-à-dire des aller et retour assez souples entre l'organe greffé et le tronc qui le porte.

Le temps implosif ou temps écologique est déjà beaucoup plus systémique. Il admet les interconnexions à tous niveaux, à tous moments. Mais Attali et Laborit (les deux chantres de ce temps-là) usent bizarrement d'un ton prophétique. Inévitable autogestion, temps nouveaux qui surmonteront les contradictions du capital et réconcilieront l'homme avec le cosmos. Cette attitude les tire en arrière. « L'après » radieux et mis à distance sert une éthique du renoncement et du sacrifice pour le présent[24]. Attitude

---

24. Yves Stourdzé, *Organisation, anti-organisation*, Mame.

encore intermédiaire qui révèle l'inquiétude, qui n'est pas dénuée d'une sorte de générosité subtile, mais qui demeure logée dans un projet linéaire.

Enfin le temps-virus, celui d'une contamination fébrile et instantanée. Il constitue le sel du comportement autogestionnaire. Il tend vers la fusion des dirigeants et des dirigés. L'analyse institutionnelle se préoccupe peu de projet, de mise en avant d'un modèle quelconque vers lequel la société marcherait. C'est une praxis antihistorique, antidialectique, sans enchaînement nécessaire de périodes s'engendrant les unes les autres par un progrès de la conscience, ou des rapports de production et des techniques.

Les unités autogestionnaires pourront pratiquer l'un de ces trois temps. Ou chaque unité pourrait se fragmenter encore en temps différents... Comment relier ces unités et ces fragments ? Par la mémoire codifiante. La société informationnelle ne peut se passer ni de la mémoire des théories du passé et des fêtes de l'histoire, ni de la mémoire actuelle de l'ordinateur. Sans ces deux types de mémoires, l'anarchie s'installe, c'est-à-dire un grand rien.

2. **Deux mémoires antagonistes.**

A) *La mémoire-référent.* — L'être autogestionnaire est-il déjà viable ? On peut en douter, car il ne dispose pas encore d'un code génétique stable. Les germes porteurs d'avenir oscillent sans cesse de chromosomes en chromosomes. La mémoire est éclatée en référents hétérogènes. Tandis que Guillerm et Bourdet[25] se réfèrent à Marx et à Descartes, n'excluent ni Fourier ni Rousseau, tout en excluant Proudhon,

---

25. *Clefs pour l'autogestion,* Seghers, et leurs différents articles dans la revue *Autogestion et socialisme.*

Rosanvallon[26] se sert de Marx mais le critique ouvertement (c'est une philosophie du XIXᵉ siècle, p. 84), fait appel à Locke, veut trouver des leçons dans Machiavel, refuse Rousseau (p. 68) et le cartésianisme, Bancal est ami de Proudhon[27], d'autres se réfèrent aussi à Proudhon, à Bakounine ou James Guillaume, ou Cornelissen[28]...

Les référents historiques ne sont pas moins divers. Bourdet et Guillerm se réfèrent à la société sauvage, au Moyen Age et à la Commune de Paris, aux Conseils entre les deux guerres, à l'autogestion yougoslave, algérienne et tchécoslovaque, Lourau à la Commune de Paris et à mai 1968, Rosanvallon refuse la Commune de Paris et plus généralement tout référent, sauf à rêver sur les droits réels du Moyen Age qui n'avaient pas encore fusionné en droit de propriété bourgeois et qu'il serait bon de retrouver dans leur éclatement d'origine (p. 109).

B) *La mémoire informatique.* — On comprendra aisément que d'autres refusent ce passé, et cherchent une autre mémoire, une mémoire pour l'avenir. C'est la mémoire de l'ordinateur. Tous les auteurs se réfèrent à l'ordinateur, agent de liaison entre unités dispersées à la dérive, de Bourdet à Drulovic, de la CFDT et Rosanvallon à Attali et Laborit. Même Lourau laisse percer son inquiétude.

Pour que les décisions soient prises par tous en même temps, il faut qu'il y ait un organe distributeur d'une information entière à tous niveaux. En somme, ce temps-germe total, qui est celui de l'autogestion décentralisée, a besoin d'un centre. Mais pour que

26. *L'âge de l'autogestion,* Le Seuil.
27. Revue *Autogestion,* nᵒˢ 5 et 6.
28. Revue *Autogestion,* nᵒˢ 18 et 19.

ne se reproduise pas la retenue de sens qui a nom :
« pouvoir de quelques-uns », il faut que ce centre
soit neutre et anonyme : un outil. Cet outil sera
l'ordinateur.

Mais cette nouvelle transparence reste douteuse.
D'une part, rien ne garantit contre la naissance d'une
caste informaticienne, économiste, régulatrice, qui
aura beau jeu d'opposer entre elles les incohérences
des unités autogérées. D'autre part, on perçoit bien
le conflit structurant de ce nouveau type de société :
la caste des informaticiens et la caste des idéologues.
Ceux pour qui la mémoire doit être tournée vers
l'avenir, ceux pour qui la mémoire (au service de
l'avenir) doit être tournée vers le passé : les uns
appuieront l'Etat ordinateur central et les plus grandes
entreprises et régions autogérées, leurs complices ;
les autres seront les représentants des unités autogérées, parcellaires, petites et moyennes, agricoles et
artisanales en particulier, et dont la rationalité dis-
sipée sera qualifiée d'archaïque. Ces conflits sont déjà
esquissés dans les premières expériences autogestionnaires. L'autogestion peut aller aussi bien du côté
du délire représentatif de la raison que du côté de
l'opération symbolique, chaude, en fusion.

IV. — Les deux stratégies
de l'opération symbolique
et des images symboliques

Rousseau. On a montré comment une opération
symbolique de type eucharistique venait pour Rousseau stopper la dissolution des mœurs et la dégradation de la société : la voix de la conscience, qui
s'exprime dans la Sainte Loi du contrat, lie fortement les manifestations erratiques du social et l'être
intime. Point de fusion.

Montesquieu parvient à recoder et recentrer les complexités d'un monde qui s'ouvre de toutes parts, à coups d'images symboliques et d'analyses scientifiques, positives. La société féodale en perdition. Tout menace ce point central de réunification qu'est le pouvoir. Aussi bien c'est avec la construction d'images symboliques que Montesquieu maintient l'ordre. Image d'une science positiviste, image d'une politique régulatrice, colmateuse des fissures.

Opération symbolique des uns, images symboliques des autres. Liaison cherchée, construite, des faits dispersés et de l'être unique. Lutte pour maintenir une totalité : substituts de l'opération eucharistique, même politique d'utilisation du symbolique. Une seule différence : en temps de conflit grave, l'opération symbolique vient sonner le rappel et monte, comme une magie, la vision d'un accord total, d'une transmutation parfaite. En temps de crise larvée, les images symboliques suffisent à présenter le miroir de réunifications partielles.

Nous avons tenté de démontrer que Marx, théorisant la critique de la falsification religieuse du *Capital,* restait contre-dépendant de l'opération qu'il dénonce. La vraie nature de la société civile s'invente dans la lutte des classes, véritable *opération symbolique* qui s'oppose à l'opération symbolique mystificatrice du capital.

Opération et images symboliques sont à l'œuvre chez Marx, ce sont les constructions édifiées — édifiantes — d'une société à venir. Malgré toute la méfiance que lui inspirent les tours de passe-passe du Capital et de la Religion, force lui est de reconnaître que le passage vers l'unité ne peut se faire sans une opération du même type. Apocalypse positive. Temps de la réunion projetée vers l'avenir. Un paradis à l'horizon dont les groupes militants sont l'avant-première.

Quant à l'autogestion, ce mouvement qui intéresse les contemporains car il transporte avec lui les images prestigieuses d'un passé révolutionnaire tout de même que la prudence des politiques raisonnées, n'est-ce pas à l'opération symbolique d'une éternité présente qu'il nous convie ? Chasser le mal, chasser l'Enfer, trouver le Paradis : toujours le même projet.

L'autogestion célèbre l'opération symbolique de réunification totale. Les images symboliques dont elle use pour diffuser la vision d'un paradis autogestionnaire sont puisées dans le stock d'une mémoire mythique. La politique symbolique est toujours ainsi montée en réponse à un hiatus, à un trouble dans la communication des signes, à une dispersion des forces. Pour elle, deux modalités stratégiques qui alternent et se répondent : opération et images.

Conclusion. — Les symboliques des théories politiques contenues dans les textes les plus sophistiqués, les plus cités et les moins lus, constituent des mémoires vivantes de nos pratiques politiques. Vivantes, conflictuelles, agitées d'innombrables plis, ces mémoires théoriques ont autant d'efficacité pratique que les drapeaux colorés qui les illustrent, les images séductrices ou répulsives qu'elles suscitent, les communions qu'elles inspirent. On meurt ou on vit autant pour ces dernières que pour des principes abstraits. Les unes ou les autres sont deux faces indissociables du même phénomène de mobilisation, nécessaire à l'identification, c'est-à-dire à l'identité.

Chapitre II

LES SYMBOLIQUES
DES PRATIQUES POLITIQUES

Les symboliques façonnées par les pratiques politiques sont portées ou incarnées par des grands prêtres, imagiers ou guérisseurs (I). Elles sont de deux ordres : il s'agit soit d'une production d'images symboliques, qui soignent les sociétés en crise (II), soit de communions (ou opérations symboliques) qui purgent les sociétés en conflit (III). On tentera d'esquisser pour finir un appareil qui permettra de mesurer l'efficacité symbolique des pratiques politiques (IV).

I. — Les prêtres
de la symbolique politique

1. **Crise et conflit.** — L'opération de coupure sélective qui se sert de la mémoire mythique pour monter une unité vient condenser en un conflit les images diffuses, polysémiques, qui s'installent dans la crise. Brefs éclairs conflictuels, orages dans un monde de crise perpétuelle. Car la crise est chronique. On en attend toujours le dénouement. C'est cette latence ouverte qui fait problème. Encore faut-il distinguer entre crise et conflit.

Abondance de signes, prolifération de pouvoirs, sectorisations et dédoublements, « ça » fait signe en tous sens, d'où le pluralisme des opinions. Les images essaient en vain de condenser du sens en un point. Bien au contraire, leur production politique obscurcit encore le choix d'une orientation. Les partis politiques se recoupent et se subdivisent, chacun promeut une image qu'il veut symbolique et qui n'est tout juste qu'un signe de plus. On s'efforce vers le symbole. Chirac ajoute à la croix de Lorraine, référent proche, le bonnet phrygien, référent plus lointain. On cherche l'ancrage, l'arrêt des dérives. C'est cela la *crise*.

Alors, pour stopper le désordre, une seule solution, monter un *conflit,* c'est-à-dire pousser à la rupture, vaincre les images adverses et par une communion renouveler le mythe fondateur. L'opération symbolique est purge des images. Elle les soumet à une sélection sévère. Elle assigne un ennemi extérieur à combattre, produisant ainsi une frontière rigide à ne pas franchir. Blocus. L'existence de l'ennemi commun sert de catalyse. Le conflit est entamé quand cet ennemi précisé devient haïssable, et que l'opération symbolique a transformé le groupe en combattants et métamorphosé le débat d'images en lutte pour la survie. Alors le groupe d'origine peut se dire société tout entière, refaisant le chemin que lui assignait Marx : une société partielle se fait passer pour la société tout entière. Production peut-être imaginaire mais qui répond à des impératifs tout à fait réels. On voit ici comment s'articulent production d'images et opération, dans les enchaînements de crise et de conflits. Pas d'opération symbolique sans trop-plein d'images. Le conflit est la sortie nécessaire de la crise, sa solution momentanée.

2. Laïcisation du pouvoir symbolique.

1) La politique du symbole, maintenant comme jadis, met en place toute une organisation, dont les rouages complexes ne peuvent nous tromper. La machine symbolique elle-même marche toujours de la même façon. Comme la politique, elle répète, elle piétine.

Quelle différence entre tel grand historien d'aujourd'hui et le baron de La Brède ? Entre le préfet et l'intendant ? Le maître des requêtes et le jurisconsulte d'antan ? Le grand commis du Roi-Soleil et le grand ministre des Affaires économiques ?

2) A l'unité de la politique symbolique, à sa scission en opération symbolique et en images symboliques répondent les deux stratégies distinctes des fabrications d'images et des communions de droite ou de gauche qui sont réponses à deux situations différentes : crise ou conflit.

3) La laïcisation du pouvoir qui mettait en place un gouvernement inséparable de l'administration a gagné le *socius* dans son ensemble. La prise de pouvoir démocratique fait de chaque groupe, de chaque association, presque de chaque citoyen, un « représentant » de ce pouvoir, un détenteur de pouvoir symbolique.

Et c'est là sans doute qu'il y a *changement*. Même machine, mêmes rouages, mêmes rôles, mais élargis à travers la complexité du champ social, difficiles à cerner, éclatés en quelque sorte. La politique symbolique d'aujourd'hui réclame alors une analyse complexe qui prenne en compte les niveaux différents de son élaboration, de sa diffusion, de sa digestion ou de son échec. Tout comme le prêtre représentant de Port-Royal recevait l'ordination, la charge de l'administration du symbole revient, dans nos sociétés, à tous ceux qui sont ordonnés par les institutions. Seulement les ordinations capitales se font ici un peu partout. Investitures qui polarisent en tous sens, traversent le champ social de vecteurs de forces diverses, non coordonnées.

Investitures classiques, la nation, le peuple ou les masses ordonnent les chefs inspirés, les partis libéraux ou les partis-princes. Les voici chargés des opérations symboliques prestigieuses en temps de conflit ouvert ou de la gestion des images en temps de crise (c'est-à-dire en permanence). Ces représentants créent et incarnent des figures de guérisons ou communions des temps de conflits.

Mais ce serait ignorer l'ampleur du phénomène que de s'arrêter à ce niveau politicien. Car les investitures, les ordinations foisonnent. Thèses, concours, pour les *cursus* universitaires et administratifs, investitures des maisons d'éditions qui jouent un rôle capital de sélection discriminante ; investitures des mass media, des journaux, de la radio, de la télévision et de la publicité. Voici le domaine des *fabricants d'images* symboliques. Ils fournissent aux premiers — les grands prêtres de guérison — le stock inépuisable des mythes modernes, montent des constructions mobiles, chargées de multiples sens, du cadre dynamique au sourire étincelant, à l'archaïque éleveur de moutons en Ardèche, du marginal au militant. Ils créent des besoins, font et défont la mode. Et ce jeu d'images n'est pas le fait simplement de la publicité. En amont, bien avant les propositions concrètes, il y a ces textes sur les tribus d'Amérique du Sud, le retour aux sources, à la nature. Malade de son histoire, la société des images, en crise.

II. — Les images des sociétés en crise

Malade de son histoire, telle paraît être la société contemporaine : malade de la dispersion de ses mémoires, et encombrée par un passé ritualisé. Comme figée d'étonnement devant sa propre évolution que la raison calculatrice n'arrive plus à maîtriser. Malade de la coupure d'avec les fondations, elle ne se reconnaît plus. Les notions acquises, l'identité nationale, la propriété, la famille, l'avenir, les relations avec le cosmos : tout pose question. Il semble que les peuples contemporains soient, dans la complexité grandissante des techniques et des mœurs, comme ceux des premiers âges de l'homme, démunis et menacés. Est-il alors étonnant que les recherches se réfèrent aux formations les plus archaïques ?

1. **Le miroir d'un chef Ndembu.** — Ça n'allait plus du tout pour Kamahasany, ça n'allait pas avec sa famille, ça n'allait pas dans son village, ça n'allait pas dans le village de sa femme, ça n'allait pas dans son corps, ça n'allait pas dans la société Ndembu tout entière... Crise de société, crise de valeurs, crise des chefs, agitations et démembrements, « quand les valeurs se contredisent et que les individus responsables se trouvent eux-mêmes contraints par les circonstances à enfreindre l'ordre établi... alors, les individus éprouvent un sentiment aigu d'insécurité et de panique ». Insécurité et panique, dispersion et déchirement, telle nous apparaît la crise Ndembu à travers l'analyse de Turner[1]. Entre la tradition et la pression moderne, entre la hiérarchie traditionnelle et la hiérarchie coloniale, dans le nouveau partage administratif, les forces sociales Ndembus se dispersent et

1. *Les tambours d'affliction,* Gallimard, p. 106.

entrent en lutte. Kamahasany, parce qu'il est passif, peu courageux, égoïste, mauvais chef, mauvais mari, mauvais chasseur, est le chaînon faible en qui le malaise s'incarne. Il tombe malade de la maladie du tout. Stérile, il dit la crise démographique ; sans pouvoir, il dit la dépossession ; inapte dans sa propre société traditionnelle, il dit la désadaptation de la société Ndembu tout entière face à l'administration nouvelle ; mauvais coucheur, il exhibe les inimitiés et les rivalités qui sont la bête noire d'une société de « parents » ; caractériel, il met en péril tout ce qui veut être sauvegardé au village, la cohésion, l'amour.

Puisque sa « maladie » crée un malaise autour de lui, désunit le village, suscite du ressentiment, s'étend en quelque sorte du corps individuel au corps social ou, ce qui revient au même, concentre la crise en un point pitoyable, il faut soigner Kamahasany, faire le diagnostic, appliquer le remède, le soumettre au rituel d'affliction. Autrement dit, seule une opération symbolique, répétée autant de fois qu'il le faudra, pourra ressouder Kamahasany et le village, chasser l'angoisse du démembrement. Car l'opération symbolique réunifie, refait la totalité des morceaux épars. Elle est indispensable dans une société labile, traditionnellement morcelée comme celle des Ndembus. Labile, elle l'est de manière critique et désespérée, quand elle se trouve soumise à un type extrême de changement. L'opération symbolique se spécifie alors en rituel de réparation ou d'affliction, et qui aura un effet sur le malade, sur les proches et les amis, sur les ancêtres et ses parents directs, et par cercles successifs sur l'ensemble des relations groupales des deux villages, du père et de la femme, sur les ombres des ancêtres et les hommes actuels de la tribu, les parents et les enfants, les diverses femmes et leur famille.

Mais avec les tensions et conflits actuels, les rituels traditionnels s'avèrent inefficaces. A la menace venue de l'extérieur et qui entraîne des transformations écologiques, culturelles, sociales, économiques, répondent inadéquatement des opérations de plus en plus usées ou dégradées. Le collectif s'effondre, les susceptibilités individuelles s'exaspèrent. L'opération symbolique n'est plus efficace. Mais le groupe d'hommes qui tente de se redonner l'illusion d'une existence originale et totale n'en sait rien. Il essaie ses « trucs » que le temps des autres a transformés en gadgets.

Un ou plusieurs suppliants, un sacrificateur qui les englobe, la victime choisie et, au-delà, le sacré, garant et référence première du système tout entier, telle est la coupe générale de tout sacrifice. Structure ternaire que viennent compliquer ou nuancer les rituels différents. Alliance du profane demandeur à l'Esprit qui écoute et répond par l'entremise du sacrificateur, du rituel et de la victime.

La grille de Mauss[2] semble toujours valable, qui fait état d'une structure, d'un espace et d'une temporalité propres : le sacrifiant, le sacrificateur, la victime. Tous trois doivent, pour « opérer », être préparés et sanctifiés à des degrés divers. Le sacrificateur, personnage central, est celui qui doit avoir les propriétés de pureté et de conservation au plus haut degré. Espace clos, balisé, sanctifié lui-même. Instruments choisis rituellement, consacrés. Temps clos sur lui-même, qui ne doit pas être interrompu : le dénouement du sacrifice exige la continuité. Temps scandé par des opérations diverses, minutieuses, chargées de sens. Les images symboliques — ou symboles — prennent ici toute leur valeur. On retrouve,

---

2. Mauss, *Œuvres complètes*, t. I : *Essai sur la nature et la fonction du sacrifice*, Ed. de Minuit, p. 193 à 307.

chez les Ndembus, ces temps et ces rythmes, de même qu'on les retrouve dans le sacrifice de la messe catholique : la purification avant et après, le maniement toujours explosif du sacré, la distribution à tous de la chair pour l'alliance renouvelée, en même temps que le prêtre consomme tout seul le sang, tout comme le sacrificateur Ndembu est le seul à consommer certaines parties de la victime.

Dans le cas étudié par Turner, le sacrificateur est un habile politique, un homme bon, médiateur apaisant de la tension ancien/moderne. Car il ne s'agit pas de sacrifier un bouc émissaire, en l'occurrence, le pauvre Kamahasany, solution simpliste et peu économique. Mais de le guérir en culpabilisant légèrement les membres de la société à son égard. Pas trop, car l'insécurité se creuserait, mais suffisamment pour qu'il soit supporté sans ressentiment, ni pitié. Tout un équilibre *politique,* délicat à manier.

Après la cérémonie, les gens du village bavardent entre eux, plaisantent. La tension s'est apaisée. Kamahasany a retrouvé les siens. Cependant le conflit reste présent. L'amant de la femme de Kamahasany s'en va, mais à la ville, destin proche de toute la société Ndembu. La colonisation est toujours là, et l'administration et l'argent.

Le désarroi demeure devant la puissance Autre, celle des Blancs qui a désagrégé l'unité initiale, dont on ne sait que penser, ces Blancs pour lesquels rien n'est prévu et qu'il faudrait apprivoiser lentement et un à un. Les représentations d'avions entrent dans le symbolisme rituel. Les instruments européens — couteaux et fourchettes — font leur apparition au cours de la cérémonie. Timidement, on les ritualise[3].

---

3. Turner, *ibid.*, p. 148 et s.

Mais cette recherche reste encore vaine. On recolle inutilement les traces des Dieux nouveaux à celles des Dieux anciens. L'équilibre individu/groupe/nature, maladie/guérison, mythe/rituel, tend à se désagréger, laissant pointer les divisions. L'individuel ne peut plus échanger sa maladie, les rites magiques prennent le pas sur le mythe générateur. Les images se figent en recettes. L'argent prend une valeur distincte. Un temps pour s'enrichir, un temps pour distribuer. Alors les images se mettent à proliférer. Elles sont encore chargées de sens. Elles sont fétiches. La croyance se fige en elles qui prennent alors une sorte de vie mécanique. De l'opération symbolique complète, génératrice d'images vivantes, il ne reste plus que la surface scintillante des objets de l'opération. Plus le mouvement de désagrégation s'accentue, plus les images prolifèrent. L'unité de croyance s'est effondrée.

Ce que nous appelons la crise, actuellement, à l'aide de quel artifice, pont, passerelle, ou simple corde à nœuds, la franchirons-nous en société capitaliste technologiquement avancée ?

Les transpositions sont assez risquées. Plus exactement, peu s'y risquent. Souvent les ethnologues se contentent de monter les scènes de la vie primitive en tableaux somptueusement encadrés. « Regardez », disent-ils, « comme ils sont astucieux, forts, intelligents, braves. Comme ils ont su éviter les pièges du pouvoir et les maux que notre société connaît ».

Là où l'ethnologue traite de la discontinuité, insistant même sur les discontinuités à l'intérieur du champ décrit, le lecteur voit continuité, identité. Il tend à un équilibre sécurisant. Ce n'est pas la même chose... mais quand même, se dit-il. Le déni joue sa partie de cache-cache entre savoir et croyance. L'ethnologue est alors un véritable montreur d'images symboliques, ces objets fétiches d'un culte mort. Il est lui-même le devin et le sage qui traite le corps malade de l'homme contemporain par les histoires mythiques d'une société disparue, lui donnant pour quelque temps l'illusion d'un monde recollé. C'est bien le rôle des images symboliques de faire fi des coupures et de passer (opérer le passage) de l'une dans l'autre, de l'imaginaire au réel concret. Ainsi la société Ndembu, les Kabyles[4], les Bororos[5] se sont-ils mis à hanter notre monde, à surgir sur l'autoroute[6], à parler dans la tragédie[7], à contester l'écriture et l'Etat[8]. Ils *poro-poro* et *potlachent*[9], ils enjambent les autonomies complètes ou relatives. Chaque époque a ses Iroquois. Morgan-Engels produisaient les leurs, aujourd'hui critiqués et remplacés par d'autres, bien « meilleurs », bien plus fondés « scientifiquement » et qui s'offrent à la critique et aux substitutions du siècle suivant... Comme si ce type d'images symboliques était absolument indispensable.

A) *Cuire et consommer les images symboliques*. — Ces images ethnologiques longuement cuites par le temps, surveillées de près par les savants qui changent parfois leurs recettes, modifient les ingrédients par des lectures différentes, sont consommées par des élites qui les diffusent auprès d'un public plus important. Journalistes et gouvernants, administrateurs et publicitaires, enseignants et militants se servent de ces images en provoquant de nombreuses torsions. La fabrication de ces images devient inséparable de leurs effets, c'est-à-dire à la fois de leurs interpréta-

---

4. Pierre Bourdieu, *Esquisse d'une théorie de la pratique*, Droz.
5. Claude Lévi-Strauss, *Tristes tropiques*, Plon.
6. Jean Baudrillard, *L'échange symbolique et la mort*, Gallimard.
7. René Girard, *La violence et le sacré*, Grasset.
8. Pierre Clastres, *La société contre l'Etat*, Le Seuil.
9. Mauss, *Œuvres complètes*, t. III : *Les parentés à plaisanteries*, p. 126 et sq.

tions et des viols successifs qu'elles imposent et subissent. La fonction des images symboliques apparaît alors avec plus de clarté. Sortes de *pharmacon* symbolique, elles constituent des remèdes efficaces aux maladies de la représentation. Mais il s'agit là de remèdes subtils qui se transmutent facilement en poisons.

Ainsi des images telles que le sacrifice et la violence, la société d'égaux, la fête ou le potlach sont-elles soumises à toutes les interprétations possibles, les plus contradictoires.

B) *Le sacrifice*. — L'équilibre social se sert de l'image du sacrifice pour prôner la dénatalité. Aussi curieux que cela paraisse, c'est bien de l'immolation des nouveau-nés à la société en général que parlent la contraception, l'avortement, le *birth-control*. C'est bien à un équilibre général des hommes et de leurs subsistances, par l'intermédiaire du sacrifice des innocents, que renvoient le malthusianisme et le refus de la procréation. Dans son livre *De l'histoire à la prospective*[10], Pierre Chaunu accuse le M.I.T. d'être en partie responsable de cette galopade vers la décroissance, porteuse de toutes les démissions. A son avis, le M.I.T. aurait transporté par des mass media irresponsables les mythes de la surpopulation, de la pénurie de matières premières, d'un certain épuisement de la nature. Comment expliquer l'impact des thèses du M.I.T. sans considérer l'inclusion dans le discours savant de l'image symbolique du sacrifice à la nature épuisée, pour qu'elle renaisse des œuvres vives des humains ? Image du Dieu Baal reconstituée, la Nature du M.I.T. exige la dénatalité. Résultat foudroyant : c'est un mythe qui « prend », sans doute par sa capacité

10. Laffont.

latente de séduction, sans doute en drainant après lui tous les souvenirs entassés d'une mémoire anarchique[11]. Les chiffres annoncés pour 1985 par le M.I.T. sont atteints en deux ans. L'image symbolique a battu de vitesse, par ses effets, la prévision rationnelle. Comment Chaunu peut-il lutter contre cette chute ? Il semble qu'il ne puisse appeler à la rescousse que la bonne volonté progressiste, l'humaïne raison et les lumières techniques supérieures aux ténèbres symboliques. Contre le Baal dévorant, Chaunu devrait dresser l'image d'une création infinie, incarnée dans la semence sacrée d'Abraham qui se multiplie comme grains de sable, le mythe de la fécondité inépuisable et joyeuse et, en dernière instance, l'enfantement des créatures par un Dieu-Providence. Mais il ne le fait pas, sans doute arrêté par la raison et par la pudeur de sa foi. Il se contente (p. 397) d'une page allusive sur le Créateur. Peut-être ne veut-il pas compromettre le triomphe final du Dieu judéo-chrétien en l'engageant dans un combat à l'issue incertaine contre Baal ?

C) *La société d'égaux*. — La prégnance contemporaine des thèmes de la participation et de l'autogestion s'explique aussi par leur enracinement dans un mythe fondateur. Dans tous les textes autogestionnaires, on retrouve cette référence à l'aspiration universelle à l'égalité originelle, naturelle d'un homme enfin — et depuis toujours — identifié au cosmos. Les textes gaullistes sur la participation exercent une moindre influence pour des raisons qui tiennent à la conjoncture politique, mais aussi à raison de leur silence sur le mythe rousseauiste dont ils ne se nourrissent qu'indirectement.

11. Voir le concept de *doxa vive* ou Grande Mémoire dans *Cinévilles*, par Anne Cauquelin, coll. « 10/18 ».

D) *La fête et le Potlach*. — L'image de la fête rousseauiste réunissant les citoyens dans une heureuse convivialité surgit dans le discours politique et administratif de Chalandon à la Commission des Villes du Commissariat au Plan et vient troubler l'*apartheid* résolu des urbanistes fonctionnels. Le contact humain, la communication, le plaisir installent leur chapiteau dans le quadrillage urbain. Les voies piétonnières qui renverraient aux petites *via* de la Rome antique ou aux ruelles du Moyen Age, les fameuses dalles de réunions qui renverraient à l'Agora-Forum sont le fruit de l'image festive et constituent le discours dominant aujourd'hui en matière d'architecture et d'urbanisme.

Fruit amer, car la dalle qui invite reste déserte. Les rues piétonnières entraînent des contestations et les contacts se font au profit d'une consommation effrénée. Le style des échanges reste marchand et la fête est commerciale. L'image symbolique a produit son effet réel, traduit spatialement. Elle a aussi son effet sur la foire des signes qu'elle vient relancer. Parly II et les grandes surfaces enregistrent des entrées de plus en plus nombreuses. Là est la fête, la vitrine du plaisir où le peuple abonde. Même l'image du *potlach* pénètre dans ce système autoreproductif clos. La dépense à perte est détournée de son sens et sert la consommation.

Ainsi les images symboliques viennent-elles jouer à la surface du *socius* leur jeu de réconciliation. Véritables remèdes à la représentation, elles l'empoisonnent quelquefois en retour, comme le pharmacon décrit par Derrida[12].

12. *La dissémination*, Le Seuil.

2. **Miroirs de l'histoire de France.** — Si historiens et ethnologues sont pillés par les urbanistes et les politiques, ce n'est pas un hasard. Leur travail est identique. Mythes, rites et sacrifices nous parlent dans les deux cas. Au point de vue de la constitution des images, l'opération des deux disciplines est bien la même, la seule différence réside dans la plus ou moins grande proximité des images par rapport à notre temps. L'objet des ethnologues situé en rupture avec le présent et qui est un simple terrain d'étude, érigé en objet scientifique à l'aide de batteries d'enquêtes et de concepts, est tout à coup devenu sujet de l'histoire contemporaine. Interpellé, il a surgi vivant. Immobilisé dans les liens du discours sur le passé ou sur le lointain, il a cassé la coquille des mots. Objet en rupture de ban. Les philosophes de la discontinuité sont poursuivis par le continuum. Et ceci ne concerne pas seulement les ethnologues mais aussi les historiens.

Les images des manuels d'histoire. — Des manuels d'histoire utilisent sans le savoir les grands thèmes du symbolisme ethnologique : le sacrifice, la fête, l'intégration au sein de la nation par une égalité momentanée, la lutte antagoniste des chefs entre eux dans la dépense somptuaire.

— *Le sacrifice :* les enfants martyrs de la Révolution, Bara et Viala, les hussards de la garde, la guillotine, la terreur, la tête de Louis XVI, les procédures d'exclusion, Clovis et son « je brûle ce que j'ai adoré ». Chaque image s'installe dans une coupure. Clovis entre la barbarie et la chrétienté, Richelieu entre le féodalisme et la monarchie, Colbert à l'orée de l'industrie. Fondations multiples, répétées, toujours en discontinuité de passage et tenant aux deux bords de ce qu'elles surmontent.

— *La fête :* les grandes occasions de réunion à

propos de célébrations. Charles III sacré à Reims dans la volée des cloches, les fêtes pour le bon peuple, les fêtes religieuses, les entrées des rois dans les villes déguisées, les *Te Deum* napoléoniens, les fêtes révolutionnaires.

— *La société des égaux* : elle permet l'intégration nationale. Tout mouvement populaire présenté comme union des cœurs, élan, défense de la nation. Le départ pour la guerre contre l'étranger, le soulèvement contre la lâcheté du roi, l'armée à Valmy, Bayard racheté par les fileuses.

Enfin les *potlachs* royaux : questions d'honneur, Versailles et le champ du drap d'or.

« Un fond de commun de référence, fût-il mythologique », voilà ce que Claude Billard et Pierre Guibbert[13] proposent comme l'histoire de France pour écoliers, à l'encontre de toute technicité de l'histoire structurale, démolisseuse de mythes. Une série d'images en discontinuité, arrêtées, fixées dans la présentation des personnages clefs, des figures dont la disposition condense rudement un déroulement qu'elles figent en simultanéité. Aucune communauté n'est possible sans ce minimum de représentations communes qui, dès l'enfance, met à la disposition de tous un stock d'affectivité moins informative que suggestive, moins rationnelle qu'émotive. L'histoire est là pour lier par des images-forces l'individu et le groupe. C'est la généalogie, son origine qui est exhibée. La mise au monde social de l'enfant est douloureuse, difficile. Elle passe par l'histoire de la tribu, par des péripéties mystiques. Là, les pères sont tantôt terrifiants (Clovis, Charlemagne) tantôt sécurisants

13. *Histoire mythologique des Français,* Ed. Galilée ; voir P. Nora, Ernest Lavisse : son rôle dans la formation du sentiment national, *Revue historique,* juillet-septembre 1962, p. 72 ; voir aussi, dirigé par P. Nora, *Lieux de mémoires,* Gallimard.

(Henri IV). Les mères sont ogresses (Catherine de Médicis) ou vierges et éducatrices (Blanche de Castille). Les frères sont des enfants sacrifiés, héroïques et superbes. L'action, la défaite, l'échec, le nouveau départ sont les jalons de l'adolescence. Justiciers (Louis XI) ou traîtres (Louis XVI à Varennes) ou bien souvent à la fois héroïques et tyranniques (Napoléon, Richelieu), bons et lâches (Louis XVI), justes et cruels (Robespierre), et les masses populaires toujours braves et justes, leur liesse et leur détresse, leur générosité et leurs refus : autant d'images symboliques dont l'ambiguïté est grande et peut donner lieu aux interprétations rationnelles, mais après avoir séduit et provoqué l'imagination. L'histoire tend son miroir à travers ces images à détester — et l'écolier barbouille les personnages de moustaches et de faux nez — ou à vénérer. Plus tard l'historien comparera, dessinera les courbes de croissance. Mais pour un instant, au seuil de son intégration, l'enfant tisse le réseau de sa sensibilité. Peu importe que les images s'enchaînent ou non. La chronologie s'embrouille, Clovis avant ou après Charlemagne ? Au diable l'avarice. L'enfant confond tous les Henri. Mais pour la Saint-Barthélemy, le glas en résonne encore à certains jours. L'adulte plus tard refusera la torture ou le massacre des innocents. Ces images confuses se fixeront et surgiront de façon imprévisible, dans des mouvements de révolte ou de branle-bas guerrier. *Doxa vive,* erratique, critique ou réactionnaire, grande mémoire sélective dont nous parle Anne Cauquelin[14]. Or, c'est bien là où le bât blesse selon Billard et Guibbert. Cette histoire symbolique qu'on apprenait aux enfants cède le pas aujourd'hui à des techniques

---

14. *Op. cit.*, 3ᵉ partie. Cette grande mémoire pourrait expliquer Le désir de justice dont parle Mikel Dufrenne dans *Subversion/perversion*, PUF.

d'éveil où aucune image n'est proposée, par souci de rigueur ou d'honnêteté. On craint l'impact de ces images, leur idéologie nationaliste, leur chauvinisme un peu « bébête » et pleurnichard et ce qui s'ensuit, le colonialisme à flonflon. Disparaissent alors ces représentations vives et colorées qui unissaient, malgré les différences de classe, les fils d'ouvriers et les fils de bourgeois. Il s'agit maintenant de méthodologie, de procédés abstraits neutres et universels, appliqués logiquement à des documents. Progrès de la science au détriment de la mythologie. L'école des Annales a sans doute fait son œuvre parmi les enseignants, et par leur intermédiaire poursuit son travail parmi les écoliers.

Or aujourd'hui, cette école se transforme, sans renoncer à sa contribution initiale. Le mouvement critique de Billard et Guibbert, le retour, qu'ils souhaitent, aux pratiques de l'école laïque et républicaine, à cette imagerie populaire indispensable aux sentiments, certains historiens l'accomplissent pour leur propre compte. Ainsi de Le Roy-Ladurie et de Duby : détails, portraits, images reviennent comme histoire, comme si l'histoire éprouvait le besoin de revenir au charnel, au vécu. Comme si la neutralité de la science représentative était parvenue à son point limite, qu'elle ne veut pas franchir et qui conduit à la désespérance du consommateur d'histoire.

Le succès de *Montaillou, village occitan* s'explique encore par là. Le grand inquisiteur libéral dans un système répressif sait écouter les villageois. Il les respecte, ne semble les condamner qu'à regret. Succès de l'image « Montaillou » à la mesure de son ambiguïté. L'inquisiteur assure l'unité française ; en même temps le village dans son intimité nous est montré sur le mode promitif. Montré et dérobé sur l'autel de l'unité française. Tout nous charme dans cette affaire. Attirance pour les opprimés, respect pour l'inquisiteur, ancêtre de Richelieu, grand sacrificateur qui extirpe le mal pour le bien de la nation, attrait du régionalisme et de l'intimité villageoise, intérêt pour la chose sexuelle, et aussi violence que cultive notre masochisme. Comme nous aimons, et de façon bien trouble dans notre société très policée, la violence ss et celle des bandes de jeunes *(Orange mécanique)* ; Montaillou, nouveau grand spectacle, nous taquine encore dans ce sens, agréablement.

Mais aujourd'hui, suffira-t-il de pain blanc et de fromage pour restaurer l'alliance ? La bourgeoisie intellectuelle des villes associée à la bourgeoisie rurale modernisée pourront-elles refonder le mythe ? L'unité de croyance s'est perdue. Nous sommes dans la situation des Ndembus. Le nouveau Dieu Ndembu reste encore à naître, comme notre nouveau Dieu. L'histoire ne semble pas plus efficace que l'ethnologie dans l'entreprise de restauration de l'opération symbolique. Historiens et ethnologues nous parlent d'un passé révolu, comme les sacrificateurs Ndembus, à l'inverse, avaient intégré avion et fourchette. Mais si ce collage peut expurger ponctuellement le malaise, il ne peut tenir lieu d'opération symbolique[14 bis].

III. — **Les communions des sociétés en conflit**

1. **Le drapeau.** — Objets fétiches, instruments de sanctification, signaux de rassemblement, détenteurs d'un sens, sujets à équivoques, puis rejetés ou défendus « jusqu'à la mort », les drapeaux ont suscité des passions auxquelles nous avons peine à croire dans notre cynisme désabusé.

14 *bis*. Pour une critique de cette nouvelle « nouvelle histoire », voir François Dosse, *L'histoire en miettes,* La Découverte.

Et pourtant, il n'est pas très éloigné ce temps où les attaques contre le drapeau « national » — tricolore — valaient la prison à leurs auteurs, et où la persécution du drapeau rouge s'étendait à la couleur rouge en général. Pas si loin, non plus, le temps où des opérations de passe-passe substituaient un drapeau à l'autre, entraînant par la même occasion l'adhésion à un gouvernement réactionnaire. Ainsi de Lamartine à l'Hôtel de Ville.

Les emblèmes sont donc bien des instruments d'une opération souvent violente. Moyens pour une réunification, ils paraissent quelquefois se transformer en une finalité ultime.

La croix de Lorraine. — La croix de Lorraine vient couronner les insignes épars. Elle en est le lien. La distinction fonde la réunion : vieille croix, faite du bois de la Sainte-Croix, gardée en relique, elle devient l'emblème de la Lorraine, quand le duc René l'apporte en héritage. Mais en 1870, à Notre-Dame-de-Sion, leur sanctuaire, les Lorrains brisent la croix et y inscrivent « Ce n'est pas pour toujours ». En 1918, on remet bout à bout les deux morceaux disjoints. Ce n'était pas pour toujours, en effet. Symbole brisé, réajusté, double croix, double emblème. La croix religieuse perlée se laïcise et devient déjà symbole national. La Patrie et la Foi (la croix et l'épée) y ont déjà mêlé leurs sens. Le colonel de Gàulle en fait l'emblème de son régiment de chars. Le signal-symbole est prêt pour la croisade des Français libres dont le mot d'ordre est de reconquérir le tombeau de la patrie, Jérusalem nouvelle. Opération symbolique assez claire : la France n'est plus en France (de Vichy). De Gaulle ne dit pas « Je suis toute la France ». Il dit seulement — et bien plus —, avec un effet plus mobilisateur, « Je suis la vraie France ». La croix de Lorraine suggère l'analyse : elle représente la Lorraine souffrante, deux fois rattachée à l'Allemagne et dont la qualité française est contestée. De Gaulle prend cette contestation à revers en utilisant sa dynamique même. Il sépare en effet la Lorraine du reste du territoire — comme le font les Allemands — mais pour affirmer aussitôt : « C'est tout le territoire. C'est le vrai territoire. » Il sépare fictivement un membre du corps pour mieux le réunir au corps et, ce faisant, il s'érige en gardien du corps. En s'affirmant gardien de la Lorraine comme vraie France, il s'érige du même coup en gardien de la France. En représentant la partie Lorraine qui vaut pour la France, il peut symboliser la France entière. La France n'est pas entière par addition des parties. Elle est entière parce qu'elle est vraie. Vérité de l'essence de la France, devenue peu à peu vérité pratique par une modification du rapport de forces. Qu'importe alors que la France vraie soit provisoirement à Londres, Brazzaville ou Alger.

Opération symbolique simple et nette, car elle est marquée par la présence d'un seul chef, de Gaulle, et d'une unité à refaire : la France, l'unité nationale sans couleur de partis. Il en est d'autres, plus confuses, autour du drapeau fleur de lys, du drapeau tricolore et des drapeaux rouge et noir. Leur confusion même est intéressante à suivre pour ce qui nous intéresse ici, c'est-à-dire la pratique symbolique concrète.

A) *Le drapeau fleur de lys*. — On sait — et on trouve souvent ridicule — l'entêtement du duc de Chambord avec son drapeau blanc, refusant de l'échanger contre le tricolore et se privant ainsi d'un trône. Mais peut-on échanger un symbole contre un autre, s'il est vraiment symbolique ? Henri de Bourbon fait la démonstration — stupide ? — de l'enracinement du sens.

Des fleurs de lys auxquelles il se cramponne ainsi, l'origine est fort douteuse. L'insigne royal, la fleur de lys, est bien antérieur aux Bourbons. On trouve le lys à l'écu des rois francs et une tradition veut que Clovis ait reçu d'un ange un emblème à trois fleurs de lys représentant la Sainte-Trinité. En fait, le nombre de trois lys a été prescrit par Charles V. Pourquoi les fleurs de lys ? Parce qu'ils n'en sont pas, pourrait-on dire. Ils ne ressemblent en rien au lys de nos champs. Ils sont « symboliques », c'est-à-dire qu'ils indiquent par leur forme ou par leur nom quelque chose qu'ils ne montrent pas. La forme en est interprétée successivement et avec une grande minutie démonstrative par le P. Daniel, Bullet, Ménestrier, Chifflet, comme le haut d'une lance (francisque), comme le haut d'un chandelier, comme crapaud, comme abeille, et enfin comme empreinte de la patte du coq (gaulois). Sur le nom de lys, les fantaisies abondent : lys, nom celte, langue de nos premiers rois, pour « roi », fleur de roi donc. Le jeu entre lys (roi) et lys (fleur) serait ainsi à l'origine de la stylisation de la fleur ; ou encore, lys pour Louis (VII) qui a été appelé Flor, pour le distinguer de Louis le Gros, Louis VII, lys Flor serait ainsi à l'origine de la Flor de Louis ou fleur de lys ; ou encore, enraciné dans Clovis et par-delà dans les Celtes, le symbole de la royauté porte en lui sa claire signification de souveraineté, puissante, honneur sans tache, incarnée dans la pureté liliale. Ce sera la couleur blanche de ces lys qui tentera de survivre à la Révolution, au milieu des couleurs de Paris, le bleu et le rouge.

B) *Le drapeau tricolore*. — A Paris, où le mouvement révolutionnaire naît, le vert, tout d'abord, couleur de l'espérance est proposé par Camille Desmoulins comme réponse au blanc monarchique. Puis, on se rend compte que le vert est la couleur de la livrée des princes cadets. On y renonce. Et ce sont les couleurs de la ville de Paris, bleu et rouge, qui emportent l'adhésion. Les premières cocardes font fureur et quand Louis XVI, le 17 juillet 1789, se rend à l'Hôtel de Ville, il accepte de porter les couleurs de la ville de Paris à côté de son ruban blanc. Voici fondée une sorte d'unité nationale. La garde nationale en reçoit l'insigne et, le 27 mai 1790, l'Assemblée nationale décrète le remplacement de la cravate blanche des drapeaux de l'armée par la cravate tricolore. Dans la joie, les citoyens s'habillent des trois couleurs, font flotter des rubans, disent leur allégresse. Mais l'événement du Champ-de-Mars vient rompre cette harmonie. Il est l'origine de la bataille qui lui succède et dont l'histoire se fait l'écho.

C) *Le drapeau rouge*. — Le 21 octobre 1789, la municipalité de Paris presse l'Assemblée nationale d'établir une loi martiale contre les attroupements populaires : il faut organiser le nouveau pouvoir et éviter les troubles. Cette loi martiale est votée. Dans le cas où la tranquillité et la sécurité publique seraient en péril, les officiers et la sécurité publique seraient tenus d'employer la force militaire, après une déclaration. « Cette déclaration se fera en exposant à la principale fenêtre de la maison de ville et dans toute la rue, un drapeau rouge et, en même temps, les officiers municipaux requerront les chefs de la garde nationale... Lorsque le calme sera rétabli, on retirera le drapeau rouge. » On peut se demander pourquoi le rouge a été adopté, sinon parce que de tout temps il avait exprimé la puissance et l'autorité souveraine...

La loi martiale entre aussitôt en vigueur et trouve une sinistre application le 17 juillet 1791. Ce jour-là, un rassemblement populaire se fait au Champ-de-Mars pour signer solennellement une pétition réclamant la déchéance du roi. La garde nationale, commandée par La Fayette et Bailly intervient et massacre les participants. Le drapeau rouge, conformément à la loi, est déployé à l'Hôtel de Ville, accueilli par des cris de joie des gardes nationaux qui dispersent les séditieux. Le rouge est signal de répression. Il se transforme, juste à ce moment, en symbole de révolution. Passage du signal au symbole. Passage du rouge d'un signal coloré au sang rouge du peuple qui teinte ses plis. Il symbolise alors l'oppression subie. Il n'est plus considéré comme ennemi. Il devient l'emblème. « Jeu de mots héroïque », dira Jaurès qui dit encore : « Comme un feu dont un vent d'orage incline soudain la pointe vers un côté opposé de l'horizon. »[15] Le drapeau du carnage et de la loi du sang, le drapeau de la mort, le signal du massacre dont Babeuf demande la suppression[16] se retourne.

La Commune de 1871 renoue avec la tradition et le reprend comme emblème. Les Versaillais le piétineront, le brûleront, le briseront. L'acharnement va à l'extrême. On emprisonne pour le port d'une cravate, d'une ceinture rouges. On arrête, on saisit, on mutile, on déporte.

D) *Le drapeau noir*. — On le voit, le symbolisme général des couleurs n'est pas pour beaucoup dans l'investissement affectif des extrêmes. Il s'agit plutôt d'un investissement historique, d'une filiation reconnue, d'une entreprise de recodage des signes sous un seul d'entre eux qui les condense. La condensation même incline à l'interprétation contradictoire ou tout

---

15. *La petite République*, 14 juillet 1904.
16. Le 20 août 1791.

au moins changeante. Mais ce n'est pas toujours le cas. Ainsi du drapeau noir singulièrement moins investi de croyances alternées. Drapeau de la mort, de deuil, de détresse et de misère. Il est celui des affamés. Il signifie la mort pour l'ennemi qui voit le drapeau noir des pirates[17], ou encore pour celui-là même qui porte le drapeau : ainsi des canuts de Lyon. Symbole d'une mort à double face, avant d'être l'emblème de l'anarchie qui dans la phraséologie traditionnelle est liée à la mort.

Si Louise Michel tente une substitution (encore un retournement), en accusant le drapeau rouge de couvrir les tombes de la Commune, et appelle le drapeau noir, son cri n'est pas entendu de tous. Le noir a beau être « net » comme la mort, le rouge, lui, est mouvement et incendie. Et à l'enterrement de Louise Michel drapeaux rouges et noirs se mêlent.

2. **La communion sur la colline.** — Barrès interpelle ses citoyens au nom de Wotan le magnifique et de la Vierge noire, du haut de la colline inspirée, immuable sous son ciel gris[18]. Au moment de la dépression la plus atone, dans la dispersion des énergies[19], seules les grandes voix ont la force de se faire entendre par l'intermédiaire de leur descendant authentique. Non, la France n'est pas capétienne, non, ce ne sont pas les rois de France qui en ont fait la grandeur et l'unité[20] ! Le principe monarchique n'est qu'un principe de gouvernement comme un autre. La profonde unité vient de plus loin, des bords du Rhin,

17. Les croiseurs de la France libre se prenaient pour des pirates : ils arboraient le pavillon noir dans les combats.
18. « Ici, jadis, du temps des Celtes, la déesse Rosmertha sur la pointe de Sion faisait face au dieu Wotan, honoré vers l'autre pointe à Vaudemont », *La colline inspirée*, p. 7.
19. *Mes cahiers*, « Je suis né en 1862. Ces années 60 sont pour l'énergie française le point le plus bas de sa courbe, une époque de profonde dépression », p. 4.
20. Contre l'hypothèse de Maurras, *Mes cahiers*, p. 155.

des Germains, fins et solides, de la chrétienté sublime.

La Lorraine, Jeanne d'Arc, les grands hommes, Vercingétorix, tout régionalisme où s'ancre la vertu des morts[21], l'honneur de la race, voilà de quoi réunir tous ceux qui ont leurs morts aux cimetières. Barrès, à la différence de Maurras, ne monte pas un système, mais élabore un mythe fondateur, capable d'envoyer au front en 1914 les lycéens de Janson-de-Sailly, futurs officiers de l'armée française, pour qui la guerre « ranime la vie spirituelle »[22]. Ainsi pour que vive la Nation, et se perpétue la « concession »[23], pour que le groupe reste entier, il lui faut payer le prix du sang. Rituel sacrificiel auquel sont conviés les jeunes bourgeois, futurs officiers, et saints. L'un d'entre eux, parmi bien d'autres, s'appelait de Gaulle. La colline se déplace à Londres, Brazzaville, Alger.

La colline se déplace. — « Je me suis toujours fait une certaine idée de la France. » Première phrase des *Mémoires de guerre*. Là où est l'esprit, là est la France. L'Etat est dans l'âme des Français[24]. Seul l'invisible donne un sens au visible. Seul l'absent désigne le présent, quand le présent, par effondrement intérieur, se renie. En 1870, la France est en Lorraine. En 1940, la Lorraine est annexée et la France envahie. La Lorraine est donc à Londres, tout entière présente dans le chef spirituel et dans la poignée d'hommes, une élite, qui l'entoure[25]. De loin, de leur éternelle

21. Point commun à Maurras et à Barrès. Voir par exemple : *Le dictionnaire politique et critique*, p. 111 et s., 327 et s., 357 et s.
22. *Mes Cahiers*, p. 745.
23. *Ibid.*, p. 151 : « J'ai voulu m'assurer un tombeau, une concession à perpétuité dans le mot Lorraine. »
24. A la Libération, tout danger de subversion sera écarté « si l'Etat est refait ailleurs, si dans l'âme des Français la première place est prise par un gouvernement national... », *Mémoires de guerre*, t. II, p. 2. « C'est le souffle d'outre-mer et le souffle de l'intérieur qui, réunis, constitueront l'harmonie de l'Etat », *ibid.*, p. 151.
25. Elite « sacerdotale » vouée au sacrifice et à l'exemple (discours de Bayeux), *ibid.*, p. 648, t. III.

puissance, les Dieux tutélaires, nourriciers se réveillent, armés de l'épée. Non pas cette épée trop courte de l'armée effective[26], mais l'autre, la réelle, absolument symbolique. L'épée qui coupe et tranche, aussi bien réunifie et refait. Le dieu germain Wotan est de ce côté-ci du Rhin, il a déserté l'épée mécanique de l'Allemagne nazie. Celle-là semble longue : elle est trop courte, car l'Esprit ne l'anime pas.

A) *Le mythe fondateur*. — Au début est le mythe qui fonde, nous l'avons dit. Avec les grands ancêtres de l'histoire. Quelle histoire ? Une histoire non chronologique. Pas celle qui est minutieusement discutée et classée dans les traités mais une histoire populaire, avec ses images grandiloquentes, un réservoir d'images pêle-mêle. A quoi correspondent les 1 500 ans d'histoire que de Gaulle invoque constamment[27] ? Ils nous renvoient aux années 450, en cette époque où Mérovée donne son nom à la première dynastie franque (448), bientôt suivi de Childéric (458) et de Clovis, fils de Childéric. Ces Francs d'origine germaine, mais liés au destin gaulois depuis plusieurs siècles (ils avaient combattu côte à côte contre les Romains, s'étaient aussi déchirés puis unis), s'érigent en royaume franc.

Avec Clovis, les Francs s'allient à l'Eglise et à la latinité. L'épée s'allie au spirituel. « Pas de France sans épée. » « La puissance militaire est la seconde nature de la France », proclame de Gaulle[28]. La première nature, c'est l'esprit, le spirituel, l'Eglise. Les deux mêlées sont la France. Mythe fondateur barrésien et gaullien qui rejoint le mythe fondateur de Montesquieu : sa monarchie franque réconciliatrice

26. « Comme elle est courte l'épée de la France... », *ibid.*, t. II, p. 246.
27. Par exemple, *Mémoires de guerre*, t. I, p. 531 ; t. II, p. 512 ; t. III, p. 653. De Gaulle invoque très rarement 2 000 ans d'histoire de France.
28. *Mémoires de guerre*, t. I, p. 74 ; t. II, p. 245.

de la latinité et de la barbarie venue du Nord. Berceau de la France du xviiie siècle qui servait le « président » dans ses visées de renouvellement et de restauration des pouvoirs aristocratiques. Berceau de la France d'aujourd'hui répond en écho de Gaulle qui use du même mythe pour opposer à la puissance aveugle des nazis, l'alliance de l'épée et de l'esprit incarnée dans Clovis. Qu'importent les simplifications ! L'essentiel est de fonder l'opération symbolique.

B) *La théorie du chef symbolique*. — En prise directe avec cette histoire, de Gaulle doit cependant être reconnu comme le fils authentique des héros de toujours. Investi ou plutôt adoubé par un grand chef français plus âgé. Il ne lui suffit pas au départ d'être considéré comme chef militaire par un gouvernement étranger (mémorandum franco-britannique du 7 août 1940). Il lui faut s'inscrire clairement dans le mythe fondateur par un rattachement au lignage. Il occupe un rang secondaire dans la hiérarchie militaire. Il demande sans cesse à ses aînés de prendre la direction des affaires. Certains lui répondent par le silence, ou l'insultent. L'un d'entre eux, haut gradé et prestigieux, refuse de diriger la France libre et désigne de Gaulle. C'est le général Catroux. « Il répondit d'une façon noble et très simple qu'il se plaçait sous ma direction. Eboué et tous les assistants reconnurent non sans émotion que pour Catroux de Gaulle était désormais sorti de l'échelle des grades et investi d'un pouvoir qui ne se hiérarchisait pas. Nul ne se méprit sur le poids de l'exemple ainsi donné. »[29] Catroux le fait donc chevalier, défenseur

29. *Mémoires de guerre*, t. I, p. 114.

de la terre opprimée, « Notre-Dame la France », à la fois cathédrale et dame de chevalerie[30]. Le chevalier sera chef et prophète.

Dans la lutte s'illustre le chef prophétique, le bon prophète. Il était à ses yeux un vrai prophète se distinguant des faux prophètes qu'il condamnait. Hitler et Mussolini étaient des faux prophètes. Le faux prophète se distingue du vrai en ceci qu'il domine en écrasant ou en ne respectant pas les différences, en nivelant, jusqu'à la mort[31]. Deuxième caractéristique : le bon prophète sait, à côté de la passion, user de la raison, guidée par l'Esprit qui déserte la raison du mauvais prophète. La raison, le bon énoncé scientifique, le bon sens : malgré les apparences, la raison — et pas seulement le cœur — est du côté de de Gaulle en 1940 : la France n'est pas sortie de la guerre. Son Empire, sa flotte sont intacts. Les alliances continuent. Vaincus en une bataille par la puissance mécanique, les Français, puisant dans le réservoir industriel américain, pourront vaincre dans l'avenir par une force mécanique supérieure.

C'est le reproche que de Gaulle fait aux hommes de Vichy qui ne savent pas placer la défaite de la bataille de France dans un ensemble mondial qui l'absorbe et l'annule. C'est le reproche qu'il fait à Darlan qui tenait à sa flotte comme à un fief, qui ne raisonnait qu'en termes de marine, et pas de France. C'est le reproche fait à Giraud de penser en termes exclusivement militaires, d'imaginer que la France n'existe plus, puisqu'elle est envahie, alors que pour de Gaulle elle n'a jamais cessé d'exister[32], puisqu'elle est là où elle est pensée dans sa totalité,

30. *Ibid.*, t. II, p. 174.
31. *Mémoires de guerre*, t. I, p. 570 ; t. III, p. 647.
32. *Mémoires de guerre*, t. II, p. 120.

militaire, économique, politique, internationale. C'est le reproche à Eisenhower, très bon chef de guerre, mais mauvais politique, prêt à abandonner Strasbourg pour des raisons tactiques sans percevoir les implications de cet acte dans la haute politique. Ce sera plus tard le reproche fait « au quarteron de généraux » rebelles en Algérie : ils avaient techniquement gagné la guerre. Vue sectorielle, donc limitée et non réaliste, contredite par la vision d'ensemble, politique, elle, d'une paix impossible sans le FLN. La raison met donc ensemble des relations éparses, sait que la morale importe autant que la stratégie, que la stratégie est morale, économie ou politique. Mais, comme dans Port-Royal, la raison n'est que l'un des deux versants, l'autre est la passion par laquelle le chef, corps symbolique, irremplaçable, chargé du lointain et du continu[33], communique directement et individuellement avec chacun, sent frémir et palpiter des âmes[34].

C) *Et le Verbe s'est fait chair*. — Un chef, soit, mais avant tout un chef qui parle et dont la parole est en action. Ce n'est pas la *Belle au bois dormant*, conte lénifiant, que de Gaulle nous chante. Il sait intuitivement ce que Bruno Bettelheim enseigne aujourd'hui : le conte doit être dur, cruel, pour permettre de repérer le bien et le mal, pour les opposer l'un à l'autre pour que l'enfant auditeur retrouve son identité dans cette opposition, pour mobiliser donc[35]. La France n'est donc pas une princesse endormie, mais... « une captive torturée qui, sous les

---

33. *Mémoires d'espoir,* t. II, p. 68.
34. Les références abondent dans les cinq volumes des mémoires : par exemple *Mémoires de guerre*, t. II, p. 304 ; t. III, p. 18 ; *Mémoires d'espoir*, t. I, p. 180.
35. Bruno Bettelheim, *Psychanalyse des contes d'enfant,* Laffont.

coups, dans son cachot, a mesuré une fois pour toutes les causes de ses malheurs comme l'infamie de ses tyrans »[36]. Cette voix de conteur vient de loin, vient de haut. Elle peut être entendue sous l'orage. Elle décuple alors sa force par l'éclair qui frappe et illumine comme le Keranos d'Héraclite qui gouverne effectivement. La voix du peuple par la parole de de Gaulle est alors celle de Dieu lui-même[37]. Car c'est exactement l'opération eucharistique que de Gaulle accomplit pour la France. Premier retournement : la France n'est pas dans sa géographie, mais à Londres, Brazzaville ou Alger. Comme le corps du Christ n'est plus dans son corps mais dans le pain et le vin. Deuxième retournement : le corps n'a aucune importance car c'est l'esprit qui compte et dirige. Là où est l'esprit — c'est-à-dire l'élite des combattants avec moi-même, de Gaulle — là est le corps. Ce qui compte ce n'est plus le pain et le vin, mais l'Esprit qui les pénètre. Dans cette opération, de Gaulle n'est pas le Christ. Il est le grand officiant de la communauté des fidèles.

3. **Les shadow communions (ou communions militantes).** — Au lieu de venir, par la littérature « bourgeoise », à travers les images de Montesquieu et de Barrès, fournir des éléments à la communion du chef, c'est par les théoriciens révolutionnaires qu'elles viennent au jour de la conscience : Rousseau, Marx, peuple et prolétariat vont, par leurs pratiques, modifier le monde. Les deux pratiques du peuple et du prolétariat sont fort différentes. A la coupure originelle de Rousseau — et corrélativement à sa concep-

36. *Mémoires de guerre*, t. II, p. 126.
37. Le cas s'est présenté à Alger dans l'affaire des barricades. Le discours à la radio sous l'orage entraîna des effets foudroyants. *Mémoires d'espoir*, t. I, p. 86.

74

tion d'une histoire re-progressive — correspond un certain type de pratiques militantes. A la coupure finale de Marx — et corrélativement à la conception d'une histoire progressive et disruptive — correspond un autre type de pratiques.

A) *De la fête rousseauiste au délire de la raison.* — Dans la pratique proposée par Rousseau, les traces de l'opération symbolique, ou encore la répétition sacramentelle, sont de deux sortes. La voix de la conscience intime individuelle et le rite de l'assemblée du peuple, à portée de voix, expriment sa volonté : le Contrat Saint. Voici donc les opérations symboliques pratiques par lesquelles parties et tout devraient communiquer et qui devraient transformer l'intérêt particulier en intérêt général.

Mais la mécanique proposée se détraque : ivrognerie et pillage, lutte de factions, intérêts particuliers et manipulations prévalent très vite. Il faut dresser les limites, les conserver férocement, placer les intérêts particuliers en dehors d'elles. C'est le délire froid et brûlant de Saint-Just. Maintenir l'état de grâce ne peut venir de chacun, pris par son propre intérêt égoïste, retourné à son moi propre. Il faut que le désir d'universalité se perpétue sans faille pour qu'il triomphe des égoïsmes privés. Ainsi forge-t-on un cadre, la constitution. L'universel est à l'intérieur du cadre : le vrai, la science, la sûreté, la liberté. Ailleurs, c'est le particulier. L'en-dehors est né. Le néant est ce qui est hors du tableau.

Cet universel abstrait réside dans la volonté générale. Robespierre, Saint-Just vont alors tenter un pari impossible. L'intérêt général abstrait doit devenir concret et agir comme personne pour contenir les hommes dans les limites de la loi. C'est elle qui devient alors sacrée et sainte. La constitution ne suffit plus. Au-dessus d'elle, *la Loi* de la Révolution gravée en lettres de sang et dont les décrets des comités ne sont que la trace toujours changeante, suspend la constitution et au besoin les lois, suscite dans un temps de délire l'adhésion et l'amour, rétablit alors le lien perdu avec le corps du roi et en sa personne légale, exhibe l'universalité infaillible, souveraine, despotique, terrible[38]. La rigueur extrême de la punition capitale n'était que le développement logique de la définition même de la loi. Dans ce cas, la loi est vague. C'est une loi de soupçon. Ainsi l'exprime Robespierre dans son discours du 8 thermidor : « La loi pénale doit nécessairement avoir quelque chose de vague, parce que le caractère actuel des conspirateurs étant la dissimulation et l'hypocrisie, il faut que la justice puisse les saisir sous toutes les formes. » Un texte révolutionnaire peut ainsi affirmer que seront suspectés tous les comportements simplement susceptibles de nuire à la Révolution[39]. Le délire de la terreur, opposé à l'anarchie dégradante des égoïsmes individuels, dressé comme contrepoids aux échecs de la fête symbolique, tient plus à la logique de l'universel qu'à la folie meurtrière et répressive. Fait important, la Révolution française tout entière entrera en mythologie pour les révolutions futures, léguant ainsi ses propres mythes de fondation et sa propre histoire aux communes ouvrières.

B) *La commune ouvrière*. — Héritière de 1789, elle en accepte l'histoire qu'elle inscrit à son actif. Le

---

38. C'est bien la définition du despote que donnent Deleuze et Guattari dans *L'anti-Œdipe*. La logique de l'universel personnalisé à tous les caractères du despote : URSTADT.

39. Loi du 17 septembre 1793.

secret, le serment, l' « aveu » en sont la traduction. Plus près de 1789 et du jacobinisme, le PCF et la CGT, alors que la CFDT et la commune étudiante fournissent un autre modèle de communion militante.

a) *Pratiques militantes « centrales ».* — Ces pratiques centralistes sont proches parentes du désir jacobin. Etre organisé, exister au sein de l'organisation, être uni par un « serment », être avec, mais aussi être conforme aux normes fondées en épistémologie et surveillées par elle dans le groupe. Lecture de certains textes, références à tel type de crise historique, pratiques qui doivent tendre à la conformité, à ses normes. Le militant parfait doit répondre à ces deux obligations.

Très tôt, le problème s'était posé à la Révolution soviétique. En 1925, Trotsky dans *Cours nouveau*[40] pose la question de l'unité ou de la pluralité des normes. Trotsky pose visiblement la question de la légitimité des tendances. Légitimité et danger car elles sont parfois centrifuges.

Mais Trotsky n'avait fait que déplacer le problème du parti aux groupes. Chaque groupe tend à s'institutionnaliser, à s'ériger en seul producteur d'une norme unique. Rosa Luxemburg, dès 1917, estimait que si le système représentatif n'est pas démocratique en soi, il permet l'expression des courants démocratiques qui agissent comme « onde vivante » irriguant les mécanismes institutionnels les plus pesants.

Le militant au sein de son organisation, à travers les pratiques qui le relient à tous les autres militants, réalise au niveau « micro » l'opération symbolique de la société du lendemain à laquelle il aspire. Opération symbolique : la partie qu'il est fusionne avec

---

40. Reproduit dans *De la Révolution*, Ed. de Minuit.

le grand tout. Histoires secrètes de l'organisation[41], ou même histoires publiables mais qui n'ont d'intérêt que pour les initiés, chaude affection qui ne va pas directement à l'individu mais qui transite par les représentations du grand tout, longues veillées discursives, mais aussi longues nuits d'affichage dans la ville, quadrillage de manifestations à venir, préparations de meetings (le prochain meeting est toujours le plus beau), combats divers, électoraux ou de rue, à l'usine ou dans le quartier. Autant d'opérations de communions ponctuelles et répétées par lesquelles un militant se sent déjà *hic et nunc* dans la société de demain. Mais cette opération symbolique parfaitement réussie à l'intérieur de l'organisation tend à couper le militant de l'extérieur, c'est-à-dire de ceux-là même, qu'il est censé convaincre et entraîner. Car les non-militants — païens sympathiques ou ennemis — sont exclus de l'opération symbolique. Si bien que le militant uni aux autres militants par un serment d'amour ou de raison va toujours faire bloc. Face aux non-communiants, il inclut/exclut, juge, trie, sélectionne, au nom de ses propres normes unificatrices. Il se prive alors souvent de comprendre les mouvements nouveaux, disruptifs.

b) *Les communions débordantes*. — Une conception différente de l'organisation du militant, de l'action, affleure et se développe. Les communions « centrales » restent efficaces pour une part des combattants. D'autres les jugent rituelles, répétitives, de plus en plus abstraites et froides, avec leur relent de terreur et de secret. L'autogestion expressive viendrait alors au secours de la représentation, de même que sur

41. Le secret s'étend aussi à l'intérieur du parti jusqu'aux dirigeants eux-mêmes. Voir l'exemple de la lettre à Pétain, dans Annie Kriegel, *Les communistes français*, Le Seuil, p. 223.

la scène politique générale la participation vient au secours des institutions représentatives.

Après la mort du roi, ne restaient plus que des frères ennemis. Leurs héritiers, les révolutionnaires d'aujourd'hui, n'ont pas échappé à la fraternité conflictuelle. CGT et PC, CFDT, socialistes et gauchistes se partagent les mythes fondateurs et les figures des ancêtres. Mais l'héritage possédé en commun était récemment encore géré sous la direction des frères « aînés ». Voilà que des cadets surviennent en force. La violence de la répulsion qui anima le PC et certains socialistes contre les gauchistes serait tout à fait étonnante si on ne se souvenait de la horde primitive se partageant la dépouille du père adoré-exécré. Les frères cadets osent s'emparer du sceptre et de la couronne, se réclamer des mêmes droits que les aînés, se dire fils authentiques, accuser l'aînesse de perversion et de corruption. Les cadets sont alors traités de « pauvres fous » irresponsables, sans expérience, gâcheurs, petits-bourgeois, alliés objectifs de l'ennemi commun : le Capital. La ligne de clivage est toujours là, quelles que soient les péripéties qui la cachent. Les uns, en un « Parti-Prince », s'affirment les chefs aînés de la Révolution. Les autres affirment : il n'y a plus de chefs, plus de hiérarchies, plus de cloisonnements ni de secrets. Tous ces éléments qui reproduisent, en somme, la société dominante doivent être éliminés. Ainsi, la CFDT opère-t-elle une rotation rapide de ses cadres dirigeants. De leur côté, les dirigeants étudiants sont renouvelés annuellement. L'hétérogénéité libérale des fractions est admise. L'information est partagée[42].

A tous les mythes révolutionnaires « à perte »,

42. Michel Schifres, *op. cit.*, p. 101 et s., p. 179 et s.

partagés avec les frères aînés s'ajoutent pêle-mêle Trotsky, Che Guevara, mai 1968, les terroristes palestiniens[43]. Cette diversité même peut constituer une force supplémentaire. D'une part, elle permet de récupérer des fractions souvent isolées dans le mouvement ouvrier, ainsi du syndicalisme révolutionnaire anarchiste[44]. D'autre part, l'action devient plurivocale, plurisémique et s'adresse à tous les tempéraments. Mais de grands dangers la menacent. Si son prisme est large et s'étend de la non-violence révolutionnaire de type tolstoïen à la brutalité dévastatrice et nihiliste... « sa cohésion relative »... ne peut être assurée que « dans le mouvement qui s'oppose au parti monolithique »[45]. Mouvement et non parti, fête et non pas grève professionnelle.

4. L'envers et l'endroit.

A) *Le repère temporel*. — Pour l'opération du peuple français autour d'un chef grandiose qui l'incarne, l'histoire sollicitée est celle d'un passé de 1 500 ans. Cette mémoire de l'unité efface les divisions, garde le drapeau tricolore comme symbole de la nation, accepte une image simple de la Révolution

43. Sur la diversité des référents voir *Le journal de la commune étudiante*, par Alain Schnapp et Pierre Vidal-Naquet, en particulier p. 54 et p. 643. « Tel lycée de la région parisienne a connu successivement, en moins d'une semaine, l'explosion libérale de 1789, l'atmosphère raréfiée de 1793, et la réaction thermidorienne. Dans telle salle de la Sorbonne, on saisissait sur le vif comment du mot d'ordre "Les soviets partout", on aboutissait à la bureaucratisation... Ce fait n'est pas neuf, des hommes de 1789 vivant une Révolution romaine à Lénine répétant la commune, à Trotsky dénonçant Thermidor et découvrant en Espagne et les Mencheviks et le général Kornilov, ou à Raymond Aron s'identifiant au Tocqueville de 1848, sans parler des nombreux Versaillais qui se révélèrent à eux-mêmes et aux autres après le 30 mai 1968... », *op. cit.*, Le Seuil, p. 46.
44. Sur les rapports entre certains éléments de mai 1968 avec les théories et pratiques du syndicalisme révolutionnaire, voir Jacques Julliard, Etudiants et syndicalisme révolutionnaire, *Esprit*, juin-juillet 1968.
45. Henri Dubief, *Le syndicalisme révolutionnaire*, A. Colin, p. 58-59.

française, passe sur le déchirement interne de la Convention, glisse sur la Commune, triomphe dans un 14 juillet républicain. Elle garde cependant comme repoussoir la vision d'une IIIᵉ République, boursouflée et vide, aux querelles parlementaires, qui trouve sa juste punition en 1940.

Le repère temporel de gauche est plus complexe. Le temps monté en mythes n'est pas celui des rois francs, mais celui de la République. Ce qui, avant 1789, peut être récupéré comme image motrice concerne uniquement les divisions, les révoltes, les mouvements paysans, la rébellion, Cathares, famines, guerres et pauvreté. Histoire négative que celle d'avant 1789. Histoire plurielle qui commence en 1789 et où paraissent et s'effacent d'innombrables figures, non de chefs victorieux, mais de *desperados,* non en concentration mais en dispersion. Dans cette théorie mythique, Mao voisine avec Babeuf, Saint-Just y côtoie Jaurès, Che Guevara le solitaire rejoint les 3 000 communards.

Vaincus de gauche de 1789 à 1799, proscriptions sous les deux empires, 1848 travesti par Lamartine et Cavaignac, la Commune de 1871 et le mur des fédérés ; Jaurès assassiné, qui de son bras puissant voulait écarter la guerre, le gouvernement de Front populaire chassé au bout d'un an, la chambre de Front populaire investissant le maréchal Pétain, les « 75 000 fusillés »[46] communistes sous la Résistance, suivie du rétablissement d'une République bourgeoise, mai 1968 suivi de juin. Une histoire « à l'envers » hisse alors au pavois les vaincus, les minorités, les affamés, met entre parenthèses les victoires guerrières et les redressements économiques, tous deux faits

46. L'image des 75 000 fusillés est totalement construite. Voir Annie Kriegel, *op. cit.*, p. 69 et s.

du sang et de la peine des travailleurs, conspue les forces au pouvoir.

B) *Le support historique*. — L'opération symbolique se suffit à elle-même. La tension entre la vie et la mort y est à ce point cruelle qu'il n'y a pas de place pour d'autres figures de chef, ni pour d'autres pensées que la France.

A l'opposé, la mémoire mythique de gauche, constituée à base de négation et de pluralité, est travaillée par la théorie. Les modèles d'une histoire fictive qui écarte les faits pour retenir des tableaux est celle même dont Rousseau se sert dans *L'origine de l'inégalité*. Ici les chantres viennent après les philosophes. L'histoire n'est pas une donnée naturelle. L'histoire « à l'envers » suppose un retournement, un renversement, une opération théorique au départ. Rousseau et Marx sont les fondateurs théoriques de la construction pratique d'une mémoire mythique. Cette double (et unique) construction théorique travaille alors les mythes pluriels révolutionnaires en leur texture. Alors que le mythe fondateur unique des Francs se présente comme pur de tout travail théorique.

C) *Le support affectif*. — La communion sur la colline prenant appui sur une essence unique est sous le signe de la reconnaissance d'un Moi fort, dominé par le principe d'identité. La construction de ce Moi passe par les étapes de l'identification au père, lui-même identifié aux ancêtres. Il n'en est pas exactement de même pour les militants des partis politiques de gauche : leur identification passe par le choix entre deux modèles, celui que proposent les images symboliques de la droite et de la gauche, et à l'intérieur de la gauche, par les multifigures de pères putatifs entre lesquels le choix doit à son tour jouer. C'est ainsi que le PC veut et ne veut pas l'union avec le Parti socialiste. Sur le fonds d'une identité jamais donnée au départ, à refaire en permanence, l'opération de symbolisation est une pratique « dramatique » avec ses retournements spectaculaires et l'apparition, en séquences, d'identifications successives, toujours fortement chargées d'affects.

Toute différente est la mémoire de la colline, embellie de victoires par lesquelles la France adulte a conquis son Moi et se libère.

D) *L'inscription dans la durée.* — La mémoire adulte fait prendre à la France sa place parmi les « Grands », comme une grande. La réunion, la réappropriation du sol, en un mot, la victoire par les armes sera ensuite elle-même engrangée dans les archives de la mémoire nationale et réescomptée chaque fois qu'il sera nécessaire... Deux fois, trois fois. Au-delà s'use la mémoire, le chef paraît archaïque, il ira rejoindre, statufié, les rois fondateurs en exil ou dormir dans les cimetières qu'il a chantés.

En revanche, les communions de gauche se renouvellent sans arrêt par-delà les échecs et grâce à eux. Car la réussite de l'opération symbolique ne se mesure pas seulement à l'aune de la prise de pouvoir. En ce sens, l'opération sur la colline est plus réussie, plus efficace que l'opération de gauche. En un autre sens, l'opération sur la colline est la moins « réussie » des deux : ponctuelle, liée à un événement, construite pour obtenir une victoire précise, elle est positiviste et réaliste. Mais son positivisme même en limite l'inscription dans la durée. Le fait positif déterminé auquel elle est attachée bloque la durée dans l'histoire. Parallèlement l'opération de gauche échoue stratégiquement, mais son inscription dans la durée n'en est que plus forte et plus longue. Les échecs stratégiques ne l'entament pas, au contraire, ils la stimulent. C'est cette nuance d'utopie refusée par Marx et les communistes qui travaille pourtant chaque jour tous les militants de gauche et sécrète la renaissance perpétuelle de leur réunion.

On remarquera pourtant une évolution récente. La victoire durable de la gauche dans quelques pays, dont la France, doit normalement rendre plus difficile la gestion d'une symbolique de gauche. A tout le moins, elle doit entraîner sa transformation.

IV. — L'efficacité des images et des figures[47]

Cette efficacité est plus ou moins grande selon les situations. Mais on ne saurait se contenter d'un tel empirisme. Aussi propose-t-on une grille qui permette de mesurer cette rentabilité symbolique des images et des figures. Tout dépend en fait de trois éléments constitutifs : la visée *identitaire,* les capacités de *liaison,* l'aptitude à changer son dispositif pour s'adapter ou *mutabilité.* Les images symboliques et figures de rassemblement sont-elles constitutives d'identité, lient-elles bien des éléments épars, ont-elles une souplesse ou labilité suffisante pour s'adapter ? Si ces trois conditions sont remplies, la rentabilité symbolique est considérable. Sinon, elle demeure incertaine.

1. **La visée identitaire.** — C'est sur la visée d'une identité singulière à construire que repose l'efficacité du symbolique : une communauté, par exemple,

---

47. Sur ce point, voir Lucien Sfez, *Leçons sur l'égalité*, Presses de la Fondation nationale des Sciences politiques, 4e partie.

cherche à se définir par des traits distincts, et pour cela cherche à se constituer une mémoire, une histoire, des images. Sans cette visée qui réunifie ses éléments hétérogènes, groupe, communauté ou société n'ont pas d'existence symbolique.

2. **La liaison.** — Mais pour que cette visée trouve son expression, il est nécessaire que le lien des éléments entre eux puisse se nouer. La liaison des parties est le moyen par lequel se concrétise la visée identitaire. Ce lien est lui aussi à construire, il n'est pas donné d'emblée. (Actuellement, on cherche à identifier le lien à la communication, et on nomme la société qui vise une identité par ce moyen « société de communication ».) Il y a naturellement bien d'autres moyens de construire cette liaison. Au Moyen Age par exemple, ce lien était d'ordre religieux.

3. **La mutabilité.** — Identité et liaison seraient sans effet si la société qu'elles définissent ne pouvaient s'adapter aux changements des conditions de leur existence. (Les sociétés dites « froides » sont figées parce que trop identitaires et trop liées. Il leur manque la mutabilité.) Les figures symboliques doivent donc avoir une grande capacité de transformation pour continuer à exprimer une singularité, dans des conditions historiques et culturelles différentes.

Conclusion. — Images et communions symboliques nous meuvent et nous émeuvent. Ce sont elles qui nous mobilisent pour l'action. D'elles dépendent en grande partie nos pratiques politiques, et en retour le politique en use largement. Cependant ces images collectivement mémorisées ont tendance à s'user. Leur efficacité semble moindre aujourd'hui. Notre identité serait-elle alors en péril ou passerait-elle par d'autres voies ?

CHAPITRE III

L'AVENIR
DE LA SYMBOLIQUE POLITIQUE

Automne 1985 : Le débat Fabius-Chirac.

Deux Premiers ministres qui s'affrontent, le nouveau et l'ancien qui le sera bientôt à nouveau. L'empoignade est rude. La presse du lendemain : température incertaine, match nul dit-on, ou encore, léger avantage à Fabius, ou à Chirac. Le surlendemain, la presse encore : changement à vue. Fabius est écrasé. Que s'est-il passé ? On ne le saura jamais. Quatre sondages incontrôlés, évolutifs, se nourrissant l'un l'autre et faits en quelques heures, de nouvelles réflexions de Serge July, patron de *Libération* et grand faiseur d'opinions ? On ne sait. On sait en revanche que ces jours-là la presse a organisé l'opinion, assez molle en vérité, et peu tranchée ; que cela eut des effets réels mais seulement immédiats sur l'image de Laurent Fabius ; qu'enfin deux ans après, à l'exception des spécialistes, nul ne se souvient de ce débat, un parmi cent autres.

Instantanéité de l'effet, usure rapide des images qui exige un renouvellement incessant, oubli rapide, « petites phrases » qui s'annulent les unes les autres et s'enchaînent de façon absurde ; télévision qui devient modèle et presse s'alignant sur ses procédés (faire vite et imagé) ; star system et politique spectacle

87

qui viennent sinon tuer, du moins affaiblir la symbolique politique faite de lenteurs, de sédimentations et de pratiques longuement accumulées par les années, enracinées dans la terre, les larmes, le sang, et non point montrées sur des écrans cathodiques, mais révélées, pudiquement rappelées, extraites avec peine de leur enfouissement.

Ce qui change tout aujourd'hui, c'est le règne de la communication, communication le plus souvent fallacieuse qui porte sur des signes proliférants, épars (I). Cette liaison communicative, médiatique, ne peut même plus mettre en relation deux « sujets communiquants ». Il n'y a plus ni amis ni ennemis (II). Le politique s'épuise dans ses efforts de symbolisation. La menace totalitaire est peut-être la seule encore capable de mobiliser, tant la droite et la gauche classiques ont perdu de leur efficacité symbolique première (III). C'est dire ici les limites d'une politique éclatée, fragmentée et libérale sans doute, mais menacée elle aussi par une communication totalitaire sans partage (IV).

I. — Le brouillage de la communication

Changement d'échelle : la communication, avec ses chaînes ininterrompues, passe d'un bout à l'autre de la planète à une vitesse croissante. Eparpillement des signes. Nécessité de renouveler sans cesse ce que véhiculent les réseaux d'informations croisés, enchevêtrés. La dispersion des communications et celle de ses points d'arrêt engagent alors au lieu d'un temps stable, qui ne connaissait de l'histoire et son développement que justement ce qui la rendait éternelle et fixe, un temps en devenir, vision d'un avenir souhaitable et toutes les « mémoires du futur » qui donnent leur sens à la lutte idéologique. Signes dédoublés à l'infini et choses aux référents multiples, ou, si l'on veut, communication envahissante, bruit de fond qui rend les « choses » inaudibles, et mémoires multiples, brouillées.

Cacophonie des pratiques[1] où, tous modèles superposés, la cité planétaire cahote entre la mémoire accumulative et figée de l'ordinateur et la mémoire vivante et sélective de la pratique, entre la communication par tous et la communication par quelques-uns, et trouve son équilibre dans les stratégies de compromis.

1. **Deux couples au travail : la politique symbolique.** — Rebranchant sans cesse les représentations en chaîne commutatives et communicatives sur les mémoires scéniques, la politique symbolique articule ses deux opérations clefs, la fabrication des images et les opérations de coupure-réunification. Elle fait travailler ensemble deux couples : mémoire-communication et opérations-images[2].

A) *Les opérations symboliques.* — Les opérations symboliques, décrites dans les communions (chap. II, 3e partie), se manifestent avec éclat dans l'histoire institutionnelle et sociale, mais ponctuellement et peu souvent. Elles jouent un rôle fondateur et ne le jouent qu'un moment, dans un conflit violent qu'elles montent et qui les légitime. Elles imposent une certaine destruction et un ordre nouveau, puis s'en vont. Pour constituer le conflit, elles nouent en une activité unique de parole et d'action des morceaux épars

1. Impuissance et répétition comme d'autres l'ont montré à partir de l'exemple de mai 1968, cf. P. Nora dans Mémoires de l'historien, mémoire de l'histoire, *Revue française de psychanalyse,* printemps 1977, p. 227.
2. On peut dire que l'ensemble du livre de J. Berque, *Langages arabes du présent,* traite de cette question. Il montre les liens étroits entre le Coran, la littérature, la politique et l'opinion ; voir en particulier p. 242 et s. (Gallimard).

d'une société en décomposition pour fonder à nouveau son unité. Il s'agit donc là de ce type de mémoire hautement sélective, bricolée, hétéroclite qui échappe à la mémoire ordinatique.

B) *Les images symboliques*. — Mais l'opération mythique du symbole a besoin d'un support de communication, elle ne peut s'en passer, et doit trouver une chaîne d'images identifiables par l'opinion, support bien difficile à analyser dans la mesure où il entretient un rapport ambigu à l'opération qu'il soutient. On peut avancer que les images symboliques sont formatrices de la mémoire sélective qu'entretiennent, tel un feu sacré, les groupes militants. Mais il faut ajouter immédiatement qu'elles sont dépendantes de l'opération qu'elles suscitent, puisqu'elles sont, en définitive, jugées par elle. Ainsi, le problème de leur statut dans la politique symbolique est le problème de leur insertion dans l'histoire, en même temps que celui de leur fabrication et de leur diffusion. Statut qui les met au carrefour de la mythologie et de la communication, de la nouveauté et de la répétition, du travail scientifique et de la publicité. Un corps de spécialistes s'en charge : les imagiers.

Elite intellectuelle et technocratique tout à la fois, représentants littéraires et acteurs sociaux. Les deux médias fournissent la réserve de sens nécessaire. Qui sait si, à propos de l'écriture, Lévi-Strauss n'a pas monté l'image d'une violence symbolique et déclaré la guerre au pouvoir du discours ? Qui sait si rebranchant Rousseau — ou un certain Rousseau — sur le corps social, il n'a pas préparé le retour de la voix de mai 1968, et du temps germique de l'autogestion ? Si Mauss n'a pas, avec le *potlach,* ouvert la route à l'escalade des signes en même temps qu'au retour du symbolique ? Singulier destin des images.

Les constructeurs d'utopies urbaines ont bien livré au bout du parcours les Cergy-Pontoise et les Sarcelle. Car les images des imagiers ont leurs répondants dans les pratiques et techniques du Corps des Ponts et des ingénieurs de Travaux publics.

C) *La mémoire juge la communication*. — Installées sur le versant « communication » les images sont donc seulement porteuses de polysémies : c'est l'opération « mémoire » qui vient concentrer, focaliser en un point leur ambiguïté. Elles peuvent être tirées à hue et à dia par les interprétations les plus divergentes et servir des politiques les plus différentes, même si certaines images correspondent mieux à des politiques conservatrices et d'autres à des politiques révolutionnaires. Mais cette liberté relative des images ne vaut qu'en temps de crise, c'est-à-dire en temps normal d'autorégulation à longue durée. Dès que la crise se transforme en conflit, les images deviennent disciplinées, se cristallisent et se condensent en quelques points seulement. Elles prennent alors un sens différent selon l'occurrence de renouveau, c'est-à-dire qu'elles ne se définissent plus que par leur place dans ou contre l'opération symbolique conflictuelle qui se monte.

Ainsi s'éclaire la question centrale du rôle des images : celle de leur connivence avec l'ordre établi ou de leur travail de sape. L'opération symbolique à la fois juge et clôt la série imagière. La mémoire juge et clôt la communication.

2. **Pays à mémoire, pays à communication.** — Mais qu'arrive-t-il dans les pays à tradition courte, à histoire brève, à mémoire limitée, de type Amérique du Nord ? Les Américains sont très attachés à l'histoire, la leur propre. Mais elle est trop courte. Ils

91

focalisent alors leur attention sur l'histoire des autres continents, en particulier l'histoire européenne.. Mais l'histoire des autres ne leur est d'aucun secours pour le montage d'images utiles à leur société. Ils sont bien contraints de lui trouver un substitut : la communication qui permet de surmonter les différences de langue et le patchwork des origines. Rien de tel en Europe où le modèle communicatif s'installe pour des raisons socio-économiques mais rencontre des résistances de toutes sortes qui tiennent... à l'histoire, aux mythes fondateurs qui unifient en fragmentant et à une mémoire sélective qui s'oppose à la transparence et à la simultanéité de l'information. Résistances européennes et en même temps indifférence. A quoi sert donc la communication dans des contrées où les communautés sont soudées et assurées dans la soudure par la mythologie historique apprise dès l'enfance ? D'autant que cette communication américaine qui se répand dans le monde semble liée à des forces économiques occultes, au profit, aux multinationales indissociables du développement technologique ? Bien des malentendus entre politiciens, économistes, scientifiques des deux côtés de l'Atlantique s'expliquent par là et ces malentendus sont très difficilement surmontables. Deux mondes qui ne peuvent converger : l'un de l'efficace simultanéité, l'autre charriant des souvenirs immémoriaux, des schèmes symboliques. L'un occupant le versant langagier, l'autre occupant le versant historico-affectif. Cependant, l'une comme l'autre de ces deux pratiques, consensus et symbole, entrent dans un jeu à la fois synchronique et diachronique. Synchronique car les Américains possèdent aussi une histoire qui peut remonter aux *Pilgrim Fathers* et plus tard à la guerre de l'indépendance. Ils s'en servent, à l'occasion, chaque fois que le pays entre en guerre ou est déchiré par des luttes intestines. L'histoire vient ici au secours de la communication. Les Européens, en revanche, se servent du système communicatif qui se développe chaque fois que leurs pays sont lassés du rappel des grands mythes. Ainsi de l'ère postgaulliste, en France, marquée par une prédominance de la communication et de ses thèmes de transparence recherchée, de dialogue et d'information[3]. Diachronique car l'entrelacement du consensuel et du symbole est facteur dynamique de la vie politique. Les processus de crise — état normal d'une société — et de conflit — bipolarisation autour d'un objet avec création d'un ennemi — s'enchaînent les uns aux autres. La crise du consensus communicatif se manifeste par l'apathie politique que ce type de consensus provoque : à consentir aux arguments de l'autre, on se lasse, on retourne à ses occupations quotidiennes. L'apathie est dépolitisation, abstentionnisme qui menace la représentation. Celle-ci languit et se disperse en de nombreux groupes primaires qui se suffisent à eux-mêmes. Cette crise trouve une échappée dans le montage d'opérations symboliques toujours conflictuelles, aussi bien militantes que votives : des visages et des noms, le portrait de l'ennemi à combattre envahissent pour un temps le champ politique, et viennent porter remède à la représentation.

3. **Une unité pratique : le vote festif.** — Comment faire alors pour établir une certaine unité ? Le premier moyen qui vient à l'esprit est celui de la « proportion » : si un grand nombre de citoyens est d'accord sur un point, la résolution du plus grand nombre

---

3. Ceci est très visible dans les discours des grands leaders : Giscard, Mitterrand et même Chirac. Voir *Giscard d'Estaing-Mitterrand : 57 774 mots pour convaincre*, par J.-M. Cotteret, C. Emeri, J. Gerstle et R. Moreau, PUF.

l'emporte sur celle du petit nombre : ce sont les décisions de majorité qui feront l'unité.

Cette question a été longtemps débattue par des mathématiciens démocrates depuis Condorcet. C'est d'abord le paradoxe du « mal élu » par lequel, entre trois candidats, l'élection selon des règles habituelles peut ne porter au pouvoir qu'un mal élu. C'est ensuite le paradoxe de l' « introuvable élu » par lequel chaque élu est préféré à chacun des autres qui sont eux-mêmes préférés à lui. Explication : « ... en appliquant le principe de majorité, on brise la cohérence des ordres de préférence en additionnant des ordres partiels qui, isolés de leur contexte, ne portent plus trace de la transitivité de l'ordre dont ils sont issus. L'ordre majoritaire se trouve donc composé d'éléments qui ont perdu leur signification initiale, il n'est pas étonnant que l'ordre collectif ne réponde plus aux impératifs logiques auxquels étaient soumis les ordres individuels »[4]. K. J. Arrow aggrave encore ces conclusions. Cherchant à découvrir un mode de décision qui puisse permettre d'agréger plus de deux ordres de préférence individuels sans faire apparaître un effet Condorcet, il établit qu'il n'existe pas de méthode d'agrégation des préférences universelles, équivalant pour tous les cas à une décision collective démocratique. Si l'on cherche une hiérarchie entre options sociales par une décision démocratique qui résulterait de l'agrégation de choix individuels, on se heurte au théorème d'impossibilité d'Arrow[5]. Impossible fonctionnement, et pourtant très réel : « EPPURE VOLGE ».

---

4. *La décision de majorité*, P. Favre, Presses de la Fondation nationale des Sciences politiques, p. 47 ; sur toute cette discussion voir G. G. Granger, *La mathématique sociale du marquis de Condorcet*, PUF.
5. K. J. Arrow, *Choix collectif et préférences individuelles*, Calmann-Lévy.

La cérémonie du vote passe par-dessus les embarras logiques. Ne serait-elle pas le substitut de l'opération symbolique des tribus archaïques ? Plusieurs constatations permettent de penser l'analogie comme substitution effective : le vote s'effectue au moment d'une crise et au besoin la fabrique. Vote curatif, qui sert à extirper le mal de la dispersion en resserrant les voix autour du noyau fondateur. Ou encore, le vote est saisonnier, déterminé par l'année, reproduit avec régularité, par cycles, élections cantonales, municipales, législatives, présidentielles. Rituel des tempos, l'entrée en cérémonie (la campagne électorale dont la durée et les conditions sont fixées), la sacralisation des officiants — investiture par les partis et par le président —, l'opération de vote, elle-même à l'endroit désigné dans l'urne symbolique qui réunit, réceptacle et matrice de l'identité et de ses cendres, le papier votif portant un nom comme une offrande aux Dieux tutélaires. Enfin, la sortie du sacrifice rituel, la publication des résultats et l'allégresse finale pour la majorité, le retour aux occupations quotidiennes. La fête est finie.

Question essentielle : d'où vient la séduction puissante et efficace de l'opération électorale, malgré les paradoxes de Condorcet et les impossibilités d'Arrow, malgré le scepticisme public, nourri par les critiques de Rousseau, de Marx, de Maurras, plus récemment ? L'explication ne se trouve-t-elle pas dans la mémoire tribale ressuscitée, dans les opérations conjuguées de la parole et du mythe abondamment sollicitées par les orateurs et transmises par les maîtres d'école et la famille, dans l'agitation des symboles, en somme, objets de culte, gisant en une culture populaire et trouvant en celle-ci des résonances légendaires ? Les révolutionnaires de 1789 n'insistaient-ils tant sur la fête et sur le culte de l'Etre suprême que parce qu'ils ignoraient, à l'époque, l'investissement affectif qu'était susceptible de produire le vote ?

II. — L'ennemi est perdu

1. **L'ennemi menaçant.** — L'opération symbolique ressuscitait la cohésion grâce à un tiers menaçant : l'ennemi aux frontières portait à l'incandescence le sentiment communautaire, rétablissait l'unité scindée ou encore suscitait la terreur d'un ennemi intérieur, excluait donc les tièdes, les Rouges ou les Blancs et valorisait l'union sacrée. Exclure pour s'enclore. La limite est indispensable.

Weber insiste sur l'opération qu'il qualifie de « communalisation ». Elle se monte en dépit des divisions internes et des inégalités de langage ou d'ethnies contre l'ennemi exclu. Reconnaissant que la langue ne suffit pas à constituer une communauté, il remarque : « C'est seulement avec l'apparition d'oppositions conscientes à des tiers que se produit chez ceux qui parlent une langue commune, une situation analogue, un sentiment de communauté et des sociations... »[6] Il y revient à propos des communautés de voisinage. « C'est seulement dans le cas de dangers communs que l'on peut compter avec une certaine vraisemblance sur une certaine dose d'activité communautaire. »[7] Ou encore à propos de la naissance et du développement de la tribu. « Pratiquement l'existence d'une conscience tribale a de nouveau une signification spécifiquement politique : faire face à une menace de guerre venue de l'extérieur ou à une stimulation suffisante de l'activité belliqueuse vers l'extérieur. »[8]

6. *Economie et société,* Plon, t. I, p. 43.
7. *Op. cit.,* p. 379.
8. *Op. cit.,* p. 422-423.

La réunion ne peut s'opérer que par une coupure, une exclusion, la reconnaissance d'un danger commun extérieur : l'ennemi qui délimite et constitue l'unité. « Dès qu'intervient la bipolarisation par division des groupes en amis et ennemis, la crise change totalement d'aspect : elle cesse presque d'être encore une crise puisque, avec la désignation de l'ennemi, les incertitudes et l'instabilité qui la caractérisent disparaissent. »[9] Phénomène déjà bien connu des philosophes, sociologues ou ethnologues et valant pour toutes les échelles, jusqu'au petit village de Kamahasany, avec les « tambours d'affliction » autour de la maladie d'un seul qui permet au cercle de se resserrer dans la thérapeutique et après la guérison. L'ennemi avait un nom : la maladie incarnée dans un membre de la tribu. Il était normalisé et personnalisé. Mais le cas décrit par Turner révèle toute son ambiguïté : l'ennemi personnalisé était-il l'ennemi vrai? Les villageois ont fait comme si. Ce qui leur était plus commode. Mais la maladie dont souffrait Kamahasany était celle de la tribu tout entière, écartelée par les tensions de la colonisation. L'administration coloniale était l'ennemi vrai, mais inattrapable, anonyme, abstrait, introuvable. La guérison de Kamahasany et de son village n'est qu'apparence ; sur le groupe pèse la menace d'un retour foudroyant du mal : la colonisation, l'ennemi introuvable, est toujours là.

2. **L'ennemi introuvable.** — L'ennemi des tambours d'affliction : il était introuvable non parce qu'il n'était pas repérable, localisable. Le Blanc, l'administration

9. Julien Freund, *Sociologie du conflit*, PUF, et *Sur deux catégories de la dynamique polémogène*, Communication, 25, 1976, p. 108 ; en théorie économique, voir Alain Cotta, Eléments pour une théorie des conflits, *Revue d'économie politique*, 1977, n° 1, p. 70.

coloniale, les missionnaires, toutes ces formes étaient bien connues par le groupe. Aucune occultation sur ce point. L'identification était faite. Mais l'ennemi était partout et nulle part. Nulle part car il se montrait rarement directement. Nulle part parce qu'il y avait de « bons » Blancs administrateurs, missionnaires, jusqu'à Turner lui-même à qui les villageois ont demandé de régner durablement en grand chef sur un vaste territoire. Partout, parce que le territoire était quadrillé par les Blancs, parce que derrière le missionnaire le plus bienveillant se cachait l'homme de troupe, parce que les Blancs divisaient les Noirs, les opposaient entre eux, et collaboraient avec certains d'entre eux. Depuis longtemps, l'ennemi n'assiégeait plus la place. Il était dans la place, à l'intérieur peut-être de chaque case, voire de chaque individu du groupe. Ombre menaçante, omniprésente, prégnante.

Les sujets de l'ère « technétronique » ressentent de la même façon les pouvoirs économiques et politiques qui les gouvernent. L'ennemi est introuvable parce qu'il est sans visage. La politique semble éclater en de multiples points. Les entreprises déjà anonymes deviennent multinationales. La télévision donne instantanément le sentiment de connaître tous les événements dès leur apparition, mais les connaissances pour les comprendre, les déchiffrer sont inadéquates ou insuffisantes. Une sorte de flou impressionniste s'ensuit. Du même coup, le oui, l'adhésion franche et réfléchie sont proscrits. Impossible de constituer des figures répulsives et donc des figures attractives. L'apathie politique s'ensuit. Apathie longuement décrite par les auteurs américains[10]. Apathie, mais qui

10. Par exemple, H. McClosky et Alii, Issues conflict and consensus among party leaders and followers, *American Political Science Review*, juin 1960, p. 406-427.

se transforme rapidement en violences quand il s'agit des signes de sa propre identité. L'abstraction, l'objectivation, l'anonymisation sont devenues trop grandes pour qu'il n'y soit pas répondu par des conflits hyper-pragmatiques. L'unité multinationale, transnationale des affaires et de la diplomatie, l'unification de la *Pax Americana,* voire la coexistence pacifique sont tellement achevées et lointaines dans leur perfection même qu'on passe sans effort à la dispersion et à la pulvérisation des opinions et des consensus. Double mouvement de l'unité fragmentée qu'a dégagé Brzezinski[11], et qui se trouve à l'échelle internationale comme à l'échelle de la nation, voire de la ville. L'ennemi, le vrai, l'irréductible, celui qu'on veut éliminer totalement — le rouge, un couteau entre les dents, les capitalistes, assoiffés du sang des travailleurs, le jaune oriental, toujours sournois — a disparu. Il devient différent, opposant, mais ne peut plus jouer le rôle d'exclu de la société internationale ou nationale. Il est désormais parmi nous. Il faut composer avec lui. Comment, en son absence, retrouver une unité affective ?

L'ennemi est alors recherché dans l'entourage propre contre qui on se définit, et l'ennemi d'introuvable devient pléiade. L'apathie se transforme en violence manifeste contre l'ennemi du petit groupe : le voisin, « celui-ci », « celui-là », le Noir, l'immigré, celui qui a trop réussi, celui qui n'a pas réussi, le jeune, l'équipe sportive voisine, le drogué, le délinquant. Cet ennemi-pléiade est une des formes les plus subtiles de l'ennemi introuvable. Il est partout. On peut donc suggérer qu'il n'est nulle part, qu'il n'existe pas, qu'il ne convient même pas de le chercher. Une société sans ennemi assigné est viable, mais

11. Dans *La révolution technétronique,* Calmann-Lévy.

au prix de l'angoisse de la crise d'identité et de la violence polymorphe.

3. **L'ennemi retrouvé... et perdu à nouveau.** — Dans la séquence de l'ennemi retrouvé domine alors le troisième type d'unité : celui de l'unanimité scientifique. L'ennemi retrouvé... grâce au consensus de la science. De quoi s'agit-il ? Pour rétablir un semblant d'unité, à la mesure du monde-cité planétaire il faut retrouver un visage à la fois inquiétant et ennemi, qui appartient à la terre et en même temps lui soit étranger. Cet ennemi se constitue progressivement. Il s'appelle aujourd'hui pollution, sida, antinature, catastrophe apocalyptique. Il réunifie l'intérêt commun à l'espèce : la survie. Antipoliticiens et antipartisans réunissent sous l'étiquette de ce nouvel ennemi toute production qui met en péril l'humanité.

Mais, renversement, ce nouvel ennemi est formé, forgé, nourri par les batailles d'experts. On retrouve ici ce que le consensus voulait éviter au départ : la compétence exclusive des ingénieurs et des savants. Les sociétés de biologistes et de physiciens sont seules habilitées à connaître des moyens de préserver l'avenir, et le peuple est toujours menacé d'apathie, assistant en spectateur à des joutes qui lui échappent, se décidant en dernière analyse selon ses intuitions, son vécu, alors que les domaines en cause sont précisément contre-intuitifs et hautement formalisés et axiomatisés. Les technocrates ont beau jeu de mépriser ce peuple-là, de le tourner en ridicule. Leur mépris engendre des réactions affectives de refus. Mais sont-elles saines ? Et finalement n'auraient-ils pas raison malgré leur superbe orgueilleuse ? Qui est capable aujourd'hui de trancher entre les arguments des savants écologistes et ceux des technocrates avancés ?

C'est alors que sur cet indécidable la politique reprend ses couleurs et le vote ses droits[12]. Le cercle est bien bouclé, avec le retour des polyarchies et des petits groupes primaires associatifs.

III. — Les réponses du politique

1. **La symbolique de Jacques Chirac.** — Règle élémentaire de la politique : il faut d'abord gagner dans son propre camp. Pour réunifier la droite française en perte de référent, il faut à Chirac un ennemi extérieur et un danger précis. Il lui faut sélectionner une, et une seule, image parmi toutes les autres, l'image de la droite tout entière. Pour cela, il est nécessaire de faire la rupture avec le pluralisme libéral de Giscard et de Barre dont les gaullistes disent qu'il est sans forme, jusqu'à s'effacer dans ses divers contraires. Puis, seconde étape, il faut que cette opération symbolique se répète en une autre, que cette droite ainsi montée s'échange contre la France, vaille pour elle. Enfin, troisième étape nécessaire, il lui faut adoucir les traits qu'il avait accusés pour conquérir des voix marginales, indispensables au succès. Il revient alors à une politique de centre droit, ferme dans le langage et madrée dans les pratiques (en 1987, par exemple). D'où une quatrième étape, le retour à l'apathie. Examinons seulement les deux premières étapes, qui concernent le montage des conflits par les deux opérations symboliques.

A) A quelles conditions les deux conflits peuvent-ils être construits ? A l'aide d'une bonne sélection d'images : cherchant à symboliser la droite, Chirac essaie de durcir son image et d'incarner le RPR dans son

12. Comme l'indique F. Bourricaud, la politique tranche les questions douteuses, incertaines et le chef élu gère l'imprévisible (*Esquisse d'une théorie de l'autorité*, Plon, p. 217, 293 et 411).

101

corps. Opération qui le coupe du corps de son premier adversaire, l'autre droite. La véritable République est la Ve, la seule qui se réfère aux « principes » qui sont « de Gaulle plus la Révolution française », c'est-à-dire à la fois le fondement de la République, 1789, la mythologie qui lui correspond, et les valeurs héroïques nationales et de prestige du général-Président. Croix de Lorraine et bonnet phrygien constituent le sigle RPR, et l'utilisation de de Gaulle rappelle l'exemple de 1940. Historiquement, on vainc en faisant dissidence contre le gouvernement. Ce que fait Chirac, défiant Giscard dès 1976 et plus tard permettant l'élection de Mitterrand en 1981.

B) Si le RPR devenait la droite tout entière, la première opération symbolique aurait réussi. Elle devrait être répétée en une seconde : que la droite vaille pour la France entière. Il faudrait monter alors un ennemi plus global. Or là, en 1980-1981, l'ennemi est plus difficile à délimiter. Il faudrait surcharger ou renouveler l'image traditionnelle du communisme (le couteau entre les dents). Mais cette image est usée. On voit alors pourquoi la publicité de droite s'empare des thèmes intéressants de « nouveaux philosophes » : critique et dénonciation des camps de travail, réflexions sur le goulag, mouvement prodissident, pour rendre répulsive l'image de l'adversaire, à point nommé. Mais les accusations de bureaucratie se retournent aussi contre la droite : car c'est bien de la bureaucratie gaulliste, au pouvoir pendant vingt ans, dont parlait *Le Mal français*. L'unité de l'image à produire comme repoussoir est cependant indispensable à l'unité du groupe en gestation.

Le RPR ici se trouve devant la quadrature du cercle. Dénoncer la bureaucratie de gauche c'est renvoyer d'abord aux 23 ans de bureaucratie gaulliste, que même Giscard d'Estaing, président libéral, n'avait pas réussi à extirper. C'est ici que la « cure d'opposition » vient à point nommé. Fabriqué — ce que chacun sait — par Chirac, l'échec giscardien aux élections présidentielles est une aubaine pour la politique symbolique du RPR. Car le débat n'est plus entre la bureaucratie de gauche, mais lointaine, du goulag et la bureaucratie toute proche de l'Etat gaullo-libéral.

C) De 1981 à 1986 le débat est alors déporté entre la bureaucratie toute proche de la gauche qui adore multiplier les institutions et entend faire la « Révolution par la loi » (Pierre Mauroy) et la bureaucratie de la droite qui s'estompe peu à peu dans les mémoires.

On assiste alors à un débat public de fourmis myopes — qui ne voient que de près et à court terme — et qui oublient, par exemple, que la taxe professionnelle honnie fut créée par Chirac, Premier ministre de 1974 à 1976, ou que la baisse des prélèvements obligatoires — soit moins d'Etat — fut engagée par Mitterrand en 1984 ; ou qui oublient encore que le monopole d'Etat dans l'audio-visuel, créé sous la IIIe et la IVe République et solidement renforcé par l'Etat gaulliste, fut considérablement assoupli sous Mitterrand qui commença à libérer l'audio-visuel de son emprise étatique.

Mais contre les positivistes à courte vue, il convient de réaffirmer que les faits ne sont pas têtus, puisqu'ils n'existent pas en eux-mêmes et que leur perception ne dépend que de nous, c'est-à-dire des constellations symboliques en vogue dans un groupe social donné à un moment donné.

En vogue, le libéralisme de 1981 à 1986, au moment où la gauche dispose du pouvoir d'Etat ; en déclin depuis 1986 au moment où la droite a repris le pouvoir. Que fait alors le RPR en 1981 ? Parti le plus étatique de tous et qui ressemble ici comme un frère au Parti communiste, le Rassemblement pour la République découvre les vertus de l'ultra-libéralisme : le libéralisme de Giscard n'était que « mou », assorti des entraves de Raymond Barre, ce colbertiste têtu ; quant à nous, gaullistes, nous avons péché nous aussi, nous le reconnaissons bien volontiers. La nouvelle vérité gaulliste sera ultra-libérale ou ne sera pas.

Discours et pratiques d'un libéralisme économique radical vont alors se succéder depuis mars 1986, jusqu'à la privatisation de groupes bancaires nationalisés par le général de Gaulle en 1945 ou jusqu'à la privatisation de la 1re chaîne française de télévision : jamais vue dans le monde, cette expérience est proprement inconcevable dans la tradition gaulliste.

Libéralisme et gaullisme s'entrechoquent dans la symbolique de Chirac, jusqu'à devenir méconnaissables l'un et l'autre. Politique hybride dite des « noyaux durs » par laquelle on privatise (libéralisme) en permettant le contrôle des entreprises privatisées par ses seuls amis RPR (gaullisme ?), au grand dam des autres forces politiques.

Que reste-t-il donc de gaulliste dans la symbolique de Chirac ? *Essentiellement* l'affirmation des prérogatives de l'Etat en matière de défense et de police. Comme la défense est devenue objet de consensus et ne permet plus la moindre tentative d'exclusion réunificatrice, reste la police. D'où l'accent — parfois exagéré — mis sur la sécurité, sur l'ordre et sur la tranquillité publique : discours de Charles Pasqua, ministre de l'Intérieur. *Essentiellement encore* le discours social et de participation de Philippe Seguin, ministre des Affaires sociales. Discours social menacé par les pratiques ultra-libérales du droit de licenciement, comme le discours sécuritaire menacé par ses propres excès, frôle par moments le discours totalitaire. C'est dire, par ces deux exemples, les deux frontières qui bordent la symbolique de Jacques Chirac : limitée par le libéralisme excessif dont elle participe, elle est encore limitée par le discours fasciste d'un Le Pen, qu'elle refuse, tout en recherchant les mêmes électeurs. Il lui reste alors une très mince ligne de crête.

D'autant que, devant la montée des mécontentements, le rythme des réformes apparaît quelque peu forcé. Jacques Chirac est alors contraint à la pause. Il lui faut prouver sa sagesse pour rencontrer l'assentiment des centristes au 2e tour des élections présidentielles. Mais rechercher cet assentiment c'est cesser de séduire les non-centristes, les musclés, ceux qui veulent que tout change et qui sont tentés par Le Pen.

L'opération symbolique gaullienne n'est plus ici qu'un souvenir. Originellement homogène, le magicien Chirac l'a transformée en patchwork.

Quid alors des libéraux ? De la menace totalitaire ? Et de la gauche ?

2. **La symbolique libérale.** — Les libéraux d'aujourd'hui ne travaillent pas directement sur l'opération symbolique. Il n'est ni dans leurs capacités, ni dans leur tempérament de rechercher de grandes actions en fusion, qui incarneraient en corps des instants de Vérité totale.

Mais les libéraux travaillent sur le versant imagier de la politique symbolique. On se souvient des réformes à cadence bi-annuelle — printemps et automne — du septennat de Giscard d'Estaing. Il fallait prouver sur des objets toujours changeants le dynamisme et l'ouverture de l'équipe : d'une nouvelle politique du logement à une réforme de l'enseignement supérieur, de la politique culturelle dite du

« patrimoine » à la réforme administrative ; jusqu'à la décentralisation, toujours préparée, invoquée, voire priée jusqu'à l'épuisement, mais que Mitterrand-Defferre réaliseront.

Plus tard émerge une autre figure libérale, celle du notaire de village rond et sage, homme de bon conseil dans les situations troublées : Raymond Barre, successeur en cette image construite, du bon M. Pinay.

La dernière-née des figures libérales prend pour nom « Léotard » dont le sourire fringuant rejoint celui d'un Lecanuet en 1965 et qui croit marquer son temps, lui aussi, par une politique d'images : la privatisation de TF1 en est la traduction directe. Image purissime du libéralisme, cette privatisation fut décidée sans nécessité économique et contre toutes les exigences de la production culturelle nationale. Mais il fallait se définir, se différencier des autres leaders de la droite, y compris des libéraux barristes ; et, à cette fin, « faire un coup ».

Cette politique imagière des libéraux n'est pas toujours aussi caricaturale. Elle peut coïncider avec des réformes réelles et d'une grande portée telle que le droit de vote des jeunes à 18 ans ou l'interruption volontaire de grossesse, sous le septennat de Giscard. Mais d'où vient-il que la politique de l'image symbolique apparaisse trop souvent comme une succession de « gadgets » ? Pourquoi ceux-là mêmes qui la pratiquent éprouvent-ils le besoin de la renouveler souvent comme s'ils en pressentaient l'usure trop rapide ? Pourquoi les mêmes essaient-ils sans cesse de la renforcer en puisant dans d'autres fonds symboliques, à l'instar de Giscard et de Barre jusqu'en 1981, qui voulaient incarner l'image de la science (économique) en invoquant forces courbes et statistiques, ou à l'instar d'un Barre qui, depuis 1981, s'esquisse en seul héritier gaulliste sous les traits de Pinay ?

Renouvellement fréquent et surcharge sont signes de faiblesse de toute politique imagière. La déception que produisent les politiques d'images vient essentiellement de leur proximité avec les politiques de fusion symbolique. La comparaison des politiques symboliques de fusion (ou opérations) et des politiques symboliques de signes (ou images) est toujours défavorable à ces dernières. Au mieux Barre pourra « valoir pour » un gaulliste, mais ne le sera jamais, tout comme le bonnet phrygien rajouté à la croix de Lorraine (emblème du RPR) désigne cruellement un temps absent où la croix de Lorraine se suffisait à elle seule pour signifier ce qu'elle avait à dire.

Mais la force des symboliques libérales peut aussi venir de leur faiblesse même. Elles ne sont sans doute pas bien excitantes, mais elles peuvent correspondre à une exigence populaire de pacification. Les hommes et les femmes de ce temps sont entrés en crise de croyance. Fini le chef suprême, sinistre l'image de ses guerriers, même rajeunis par la mairie de Paris, usés les militants partisans. Elles sont là et seulement là les conditions de succès de la symbolique libérale, riche de sa pauvreté même.

3. **La symbolique de la gauche.** — On ne reviendra pas ici sur les communions militantes et leurs paniers d'images saintes. François Mitterrand, en artiste, avait su les recoder, les tricoter ensemble en leur donnant une pleine portée d'images de gouvernement : formidable travail symbolique que de nombreuses recherches parviendront un jour à élucider. Mais voici venu le choc du pouvoir et l'épreuve d'une communication envahissante, qui brouille et embrouille.

Mai-juin 1981 : la gauche n'en finit pas de s'émerveiller de sa victoire et ce, jusqu'aux déclarations excessives du Congrès de Valence. La richesse de sa symbolique lui tient lieu de politique durant les deux premières années. Ce ne fut pas folie comme le jugèrent vite des commentateurs sentencieux. N'était-il pas arrivé à la gauche de trahir ses engagements électoraux, de perdre ainsi la confiance de générations entières ? Mitterrand chercha avant tout à tenir ses promesses. Comme Mendès France en d'autres temps, il érigea ici, en figure symbolique, une image d'homme d'Etat de gauche, qui ne transige pas avec ses principes, quel que soit le prix des impopularités provisoires. C'est dans la période de 1981 à 1983 que Mitterrand tout à la fois perdit les élections de 1986 et donna ses chances à la gauche pour plus tard. Conservant la confiance du noyau de gauche, il séduisit d'autres électeurs. Quoi de plus rassurant, même pour un électeur du centre ou de droite, que de voter un jour pour ceux dont on connaît exactement les préférences, les valeurs et les exactes limites ? Une élection se gagne d'abord dans son propre camp.

Pourtant, depuis 1983, la symbolique de gauche a souffert : d'une part on ne voulut pas reconnaître durant deux ans qu'on n'avait pas changé de politique et il fallut attendre Laurent Fabius en juillet 1984 pour savoir clairement la radicalité du changement de cap. D'autre part, comment passer si brutalement d'une culture étatique à une culture d'entreprise ? Curieux discours de gauche que celui qui fait l'éloge de Tapie, du profit, de la carrière dans les affaires, des procédés médiatiques les plus dévergondés. Discours nouveau qui « oublie » des pans entiers de la vieille politique laïque. Et pourquoi pas, comme le conseillèrent un moment des techniciens, une sécurité sociale à deux vitesses ? On n'alla pas jusque là.

Mais que tels propos aient été tenus a témoigné du trouble des esprits.

La symbolique de gauche est, elle aussi, diaboliquement menacée. Pourrait-on au juste nous dire quelle est la différence entre le discours de Raymond Barre qui suggérait dès 1980 aux chômeurs de créer leur entreprise (discours qui fit alors scandale) et le discours « entrepreneurial » de la gauche ? On peut ici comprendre les efforts de Michel Rocard pour renouveler la symbolique de la gauche. Mais le lecteur ne devra en aucun cas sous-estimer la symbolique en gestation de Laurent Fabius qui semble se constituer autour d'un noyau européen (voire franco-allemand, s'il se peut), porté par une prospective scientifique à l'échelle de l'an 2000, et la vision d'un Etat doté de contre-pouvoirs institutionnels régulateurs. En attendant, dès maintenant on peut avancer que quelques éléments peuvent déjà opérer le partage entre la symbolique de droite et celle de la gauche. A titre d'exemple, j'en choisirai deux : la culture, l'immigration.

A) *La culture*. — La question de la culture ne sépare pas en apparence les deux France de droite et de gauche. Conservation du patrimoine ou renouvellement de la création ? Les deux pôles ne s'opposent pas. Et c'est à peine si quelques préférences se marquent parfois dans tel ou tel sens dans les discours. Pour les pratiques il en va autrement et les « créateurs » chers à Lang savent exactement ce qu'ils pensent des avantages que leur consentit son successeur. Mais les plus grandes différences ne se situent pas entre ces deux pôles : elles se logent dans la politique audio-visuelle. Depuis la loi de 1986 prise par la majorité de droite, la privatisation de TF1, de la Société française de Production (SFP) et de Télédiffusion de France (TDF), a gravement affaibli la production audio-visuelle nationale autrefois protégée et soutenue (moins de 40 % en un an pour la production de fiction). La multiplication des chaînes *généralistes* privées[13] décidée par une Commission nationale de la Communication et des Libertés (CNCL) aggrave encore le phénomène : pourquoi acheter français si la même série — américaine et déjà amortie sur le marché américain — vaut six fois moins ?

Ce débat est, n'en doutons pas, un des points de fracture les plus aigus entre la droite et la gauche. En ce débat s'opposent clairement les deux symboliques : la culture doit-elle être le fait du marché ? Ou doit-elle être protégée du marché et garantie par des mécanismes étatiques[14] ? Opposition symbolique d'envergure, même si la droite et la gauche n'osent pas toujours aller jusqu'au bout de sa formulation. On comprend leur prudence. Car si le nationalisme culturel n'est pas bien perçu de nos jours, on se défie tout autant de la culture par l'argent des publicitaires. Les deux symboliques opposées tentent de naviguer entre ces deux écueils. Mais la gauche ne pourra pas esquiver longtemps la décision symbolique — et économique — du contrôle de la direction de TF1[14 *bis*], de la SFP et de TDF.

La question de l'immigration n'est pas moins complexe. Comment sépare-t-elle les deux symboliques et surtout comment les sépare-t-elle toutes deux de la menace totalitaire ?

B) *L'immigration*. — Faut-il renvoyer les travailleurs immigrés en situation irrégulière par charters entiers, menottes au poing, enchaînés et surveillés

---

13. On songe ici à M6 généraliste et non plus musicale.

14. Le mécénat est dans nos traditions d'une rentabilité très faible.

14 *bis*. A tout le moins de faire des pressions efficaces sur cette même direction, mais lesquelles ?

par des gendarmes mobiles ? Faut-il les renvoyer avec plus d'égards ? Ou encore faut-il éviter ce renvoi en régularisant les pièces administratives et en empêchant à l'avenir les pénétrations irrégulières en territoire français ? Questions de gestion policière, anodines en apparence, relevant presque du fait divers, n'était le formidable potentiel symbolique de ces affaires. France terre d'asile, peuple de couleur, chômage des Français, sécurité publique, viol, drogue et sida : on bascule insensiblement de la générosité à l'exclusion, de l'hospitalité sereine au discours totalitaire[15].

La droite républicaine et la gauche se séparent sur ce terrain. Le discours sécuritaire de la droite renvoie bel et bien à la couleur de la peau et toute la campagne législative de 1986 sur la sécurité fut indissociable de la question de l'immigration. Aux accusations de racisme, la droite répondit en positiviste, qu'un fait est un fait et que ce n'est vraiment pas sa faute si nombreux sont les délinquants à peau non blanche, adulte, civilisée[16]. Horrible insinuation pour la symbolique de gauche qui oppose d'autres « faits » à ceux-là. Mais qui peut-on convaincre par l'énoncé de faits, lorsqu'il s'agit d'un tout autre univers, celui de l'adhésion affective, préalable à toute démonstration, celui d'une conception du monde, d'une vision symbolique ?

La symbolique droitière serait-elle raciste, tandis que la gauchère serait exempte de ce mal ? On ne peut répondre clairement ici tant les pratiques se moquent des théories. A-t-on oublié quelques comportements socialistes et communistes durant la guerre

15. On peut étendre et adapter toute cette discussion au domaine de la nationalité : suffit-il pour être national d'être né sur le sol national ou faut-il en plus les liens du sang ? La tradition républicaine et la nouvelle droite s'opposent sur ce point.
16. Pour reprendre une formulation de Durkheim.

d'Algérie ? Le comportement de certaines mairies communistes chassant l'immigré à coups de bulldozers juste avant 1981 ? Pourra-t-on oublier les propos définitifs d'un Michel Noir, d'une Michèle Barzach, d'un François Léotard ou d'un Claude Malhuret, sur toutes les formes anciennes ou nouvelles (sida) de racisme ? Une partie de la droite entend rester dans la symbolique républicaine la plus pure, tandis que l'autre esquisse une tactique de récupération symbolique des thèmes de l'extrême droite. Charles Pasqua, ancien résistant, annonce, au milieu du procès Barbie, qu'il renverra au besoin les immigrés par « chemin de fer »... Il tente par là une simulation de *Nuit et Brouillard* dont le goût et la rentabilité symbolique restent douteux. En politique, il reste difficile de démêler principe et tactique. C'est dire que la symbolique de la gauche et la symbolique de la droite ne se définissent pas seulement l'une par rapport à l'autre, mais encore par rapport à des menaces totalitaires.

4. **Les menaces totalitaires.** — La symbolique de droite renvoie à la gauche l'image du goulag ; la symbolique de gauche renvoie à la droite l'image du nazisme.

Or il faut bien comprendre, malgré toutes les simplifications des nouveaux philosophes, que les deux totalitarismes, aussi insupportables à des démocrates occidentaux, n'ont pourtant rien à voir l'un avec l'autre. Car l'un est la traduction d'une politique sans mémoire, sa symbolicité consistant à supprimer... toute symbolique. Tandis que l'autre travaille à la mémoire et aux souvenirs récurrents les plus archaïques. C'est le scénario de Le Pen.

A) *Une politique sans mémoire : le Cambodge*. —
Dans le scénario « Cambodge » de Pol Pot, la mémoire
est absente. Politique sans mémoire voulue par le
gouvernement révolutionnaire cambodgien : les noms
anciens des individus sont supprimés. On leur substitue d'autres noms. De nouveaux noms de lieux,
de villes, de villages, de routes, de rues et de places
sont également substitués aux noms traditionnels. Des
villes et des villages sont détruits et non remplacés,
des familles démembrées, des populations entières
déportées. Peu d'individus retrouvent leurs emplois
anciens. Cette politique sans mémoire peut paraître
insupportable à nos regards humanistes. Elle n'en a
pas moins sa cohérence. Elle veut extirper les racines
de la société ancienne et sait que cette opération ne
peut s'exécuter sans douleur. Qu'en est-il ici de la
place du sujet, de l'opération symbolique, des images
symboliques et des élites qui les fabriquent, enfin de
la communication ?

La politique sans mémoire ne nomme pas. C'est
une politique sans sujets, où l'individu dénommé n'est
même plus propriétaire de son corps, de ses ustensiles
sanitaires ou de ménage. L'usage, si on définit par
là l'usage de son corps propre et de son environnement immédiat, disparaît. Seules subsistent les fonctions sociales et leur valeur fonctionnelle, distributive,
axe autour duquel tourne l'intérêt général supérieur.
Le critère de cet intérêt général est mesuré à l'aune
d'une opération finale, définitive, sorte de jugement
dernier, qui vient éclairer rétrodictivement les modalités contingentes d'exercice de cet intérêt général.
Les prémisses de fin de la mémoire et de fin du sujet
indiquent bien le sens de ce jugement dernier : de
pures fonctions se substitueront aux individus, aux
groupes, aux villes, voire au parti.

L'homme sera comme roc, mer, montagne, climat,

courbe. Qu'en est-il alors des images symboliques ? Il est clair que les élites gouvernantes sont indispensables à une politique aussi volontariste. Mais fabriqueront-elles des images ? Il ne le semble pas. Tout le but poursuivi par la politique sans mémoire s'en trouverait faussé. Il s'agit pour elle de supprimer non pas les élites gouvernantes indispensables au changement, mais le système de reproduction des élites et, par là, le système de reproduction des images. Plus d'images usées et renouvelées. Plus de polysémie, de variations flexibles autour d'une multitude de virtualités. Fin des images, ou ce qui revient au même, utilisation d'une seule image monolithique, qui ne peut s'user, car elle se confond avec le jugement dernier, avec la mémoire du futur.

Mémoire ? Oui, fondée en une seule image qui a effacé toutes les autres. Cette opération de purge radicale appartient-elle à l'opération symbolique ? L'image qui reste seule debout est-elle l'image symbolique ? Ni mouvement d'investissement, ni mouvement tout court. Elle ne vient pas recoller les morceaux épars : il n'y a plus de morceaux. Il y a un tout.

L'individu n'est plus interpellé en sujet. Mais il n'existe même plus d'individu. Dilué dans une fonction qui parle seule pour lui, il est devenu nomade toujours échangeable dans la programmation du plan.

Plan-programme du temps totalitaire. Qu'est-ce que cela veut dire ? Ce temps linéaire dans lequel nous construisons présent, passé et avenir, sorte de chaîne temporelle dont les morceaux communiquent, vecteurs d'images tantôt continues tantôt en discontinuité, est, dans le scénario « sans mémoire », ramassé en un point : le Présent. Echapper au temps humain fractionné, pour réunir en un moment privilégié la trinité des temps : cela se nomme Eternité. Certes, c'est bien là une visée théologique constante. Vivre l'éternité en l'instant : forme mystique de la simultanéité, de la présence. Elle est là l'attirance pour le totalitarisme, et aussi la répulsion.

Coupée la mémoire du passé, ne reste qu'une seule séquence dite originelle : la fondation de la société totalitaire. De l'avenir : une seule image aussi, la même. Ce qu'on a mis au début, il faut le retrouver à la fin, ou plutôt la fin et le début sont en même temps ensemble, toujours.

B) *Une politique à mémoire : Le Pen.* — Il ne s'agit plus ici de nettoyer l'action de toutes ses mémoires, hiérarchiques et sédimentées, qui empêchent l'avènement de la jeunesse du monde, mais d'enraciner tout projet dans les plus vieilles peurs : peur du bandit qui vous assassine au coin du bois, peur de la nuit et du crépuscule, peur de celui qui ne pense pas comme vous, ou qui n'a pas les mêmes apparences, peur de l'étranger et peur du voisin, peur de la contagion et peur de l'Etat. Peur de tout, mais aussi amour du chef et de ses preux chevaliers, protecteurs naturels, attachement à la force pure qui doit toujours l'emporter et qui n'est que trop freinée par les procédures démocratiques qu'une fausse droite — la droite dite républicaine — applique impudemment. L'injustice n'a aucune importance, ni même aucun sens. L'ordre seul compte et sa base est la force. Force qui tranche, exclue, purge de toute impureté la terre des ancêtres de sang. Tels sont les principes.

Mais la tactique est souple. Le Pen refuse toute qualification de racisme ou d'antisémitisme. Dans tel discours il attaque bien quatre journalistes dont le nom est à consonance juive, mais ce n'est là qu'un hasard. Hasard encore que ce brillant imagier ait inventé le terme « sidaïque » qui ne ressemble, bien sûr, en rien à judaïque, et « sidatorium » qui ne renvoie en aucune manière à crématorium. Crématorium ou chambre à gaz, ce ne sont là d'ailleurs que « détails ». Pur hasard encore — on l'a vu — si le RPR (Pasqua) qui entend disputer à Le Pen les mêmes électeurs parle de renvoyer les immigrés, au besoin, par chemin de fer.

Jeux de mémoire porteurs d'éventuelles mobilisations ? Ou purs simulacres d'une société en perte de référents, incapable d'en inventer qui soient appropriés à notre temps et qui ressert alors éternellement les mêmes mets en un point immobile, situé hors l'histoire, Baudrillard *dixit* ?

Si simulacres il y a, ils ne sont pas tous à placer dans le même panier. Répéter rituellement la messe républicaine devant un public d'incroyants ne paraît pas relever du même ordre que l'exploitation systématique de la peur dans une société en crise. Dans le premier cas, les effets sont innocents. Tout au plus appelleront-ils les sourires d'une partie de la caste intellectuelle, post-soixante-huitarde, c'est-à-dire déjà datée et située. Dans le second cas, les effets existent dans leur épaisseur désastreuse : un pas de plus, derrière Le Pen, et la société exclura qui ne marchera pas droit, portera lunettes ou aura les pieds plats. Interdit de transpirer pour cause de sida. Car le symbole n'est pas signe pur. Parole évanescente. Mais action. Parole-acte magique qui enracinée dans la peur, pourrait conduire à des bouleversements. Du même coup c'est la menace totalitaire qui donne force aux pratiques républicaines. La réaffirmation des valeurs d'une République démocratique cesse alors de se déployer en rites formels.

5. **Jeux du médiatique et du symbolique : l'exemple de la campagne présidentielle de 1988.** — Cette campagne, proprement stupéfiante, illustre l'ambiguïté de notre système politique désormais écartelé entre deux pôles, celui de la symbolique qui s'incarne en un corps de chair et de sang, celui de la communication qui désincarne, délocalise, déréalise. A ceux qui croient toujours que nous nous trouvons placés sous le règne du symbolique, on fera observer le rôle second (ou inexistant) des militants, le fait que les meetings sont là surtout pour les médias (ils commencent à 20 heures, horaire du journal télévisé) et que les discours tenus s'adressent, par-dessus la foule effectivement présente, à l'ensemble des téléspectateurs ou des lecteurs de la presse du lendemain ; le fait que les sondages autoconstruisent en partie des défaites ou des victoires ; que le « look » l'emporte souvent sur le contenu des messages ; que la campagne des trois grands fut construite à partir du triptyque « emploi-recherche-formation » au point de laisser penser à quelques-uns que le consensus l'emportait enfin dans ce pays puisqu'il ne s'agissait plus que d'une bataille d'images : un socialiste sans aucun doute, mais un père de la nation rassurant (Mitterrand), un chef courageux et moderne (Chirac), un chef compétent et sûr (Barre). Or ne nous y trompons pas, ces images ne relèvent pas du symbolique, mais du pur artifice médiatique.

A ceux qui, au contraire, affirment que nous avons basculé dans le médiatique le plus abstrait et déréalisé, on opposera l'importance extrême, dans le débat, de la question du racisme et de l'immigration. Cette question obséda jusqu'au sage Raymond Barre, qui se permit d'écrire dans son livre de campagne (*Questions de confiance,* p. 283) que le racisme peut parfois prendre des formes excessives, en ce qui concerne notamment l'antisémitisme, reconnaissant par là l'existence d'un racisme non excessif, normal en somme.

Nous sommes ici dans une affaire de corps (c'est le cas de le dire), partant, de symbolique. Là où l'identité nationale serait menacée disent les lepenistes, là où l'ombre douloureuse de Malik Oussekine plane dans les discussions entre jeunes, alors que d'autres encore, plus conservateurs, restent fidèles aux idéaux de la Résistance. D'ailleurs et pour le confirmer, on doit rappeler l'effroi d'une grande partie du public devant le pourcentage obtenu par Le Pen, et la victoire corrélative et aisément prévisible de Mitterrand dès le soir du premier tour. Nous voilà loin de la déréalisation médiatique et du brouillage de la communication.

L'observateur doit donc tenter de penser la coexistence de deux systèmes au même moment : un système symbolique, un système médiatique. On peut trouver ici deux illustrations de cette coexistence, la lettre du Président-candidat Mitterrand et un mot terrible du comique Guy Bedos.

La lettre de Mitterrand. — Face au candidat Chirac qui multiplie les déclarations contradictoires (« Je ne peux admettre le racisme, mais je peux en comprendre les causes »[17] qui s'oppose à son « Nous sommes tous des métis »[18]), Mitterrand veut jouer la carte du sérieux ; il invente donc un nouveau procédé : la lettre personnelle aux Français destinée à être envoyée par la poste, mais dont ils n'auront connaissance — faute de moyens financiers — que par voie de presse. Par la lettre, Mitterrand réinvestit l'écrit, genre des intellectuels dix-huitiémistes. La lettre est personnelle, rédigée en un style qui n'est

17. Discours de Marseille, mars 1988.
    Discours de Fort-de-France, même mois.

pas administratif, ni politique. Elle ne se veut pas programmatique. Elle commente, rappelle des expériences, elle oriente, elle raisonne. Surtout, par le « je » qui en domine le style, elle s'adresse au « je » de chacun de nous, créant un effet d'intimité que la télévision est impuissante à susciter.

Finalement, peu d'électeurs l'ont lue, et nous sommes incapables d'en mesurer l'impact. Sauf à dire que le Président ne fait vraiment rien comme les autres... et complète par sa lettre le portrait insolite que les Français ont déjà de lui.

Cette lettre révèle à la fois la crise du message médiatique (les messages des médias ne sont plus crédibles, et la lettre qui s'y substitue indique une cruelle absence) et la crise de la symbolique politique (cette lettre qui n'est jamais arrivée a fait beaucoup parler les seuls journalistes). Crise simultanée des deux systèmes, qui tentent de vivre ensemble en se corrigeant l'un l'autre.

Un mot de Guy Bedos. — Une formule cruelle de Guy Bedos résuma très bien le sentiment des électeurs de gauche du premier tour, peu impliqués par une campagne médiatique et consensuelle : « En 1981, lui dit un électeur, j'ai voté Mitterrand les yeux fermés, cette fois-ci, en plus, je me bouche les oreilles. » Mot très dur, mais mot de premier tour, avant la nouvelle de la poussée lepéniste. Guy Bedos ne dit pas si, entre les deux tours, le même électeur n'a pas ouvert les yeux... Retour du symbolique.

IV. — **La politique éclatée**

N'était l'effet Le Pen et il y a peu encore, l'effet goulag, la recherche de l'identité politique serait, dans nos contrées, de plus en plus difficile. Elle reste pourtant nécessaire. Notre identité politique est un élément essentiel de notre identité tout court, c'est-à-dire de notre unité, ce par quoi nous pouvons agir ou jouir. Voilà pourquoi, malgré ses difficultés, elle persiste, adoptant chaque fois des formes nouvelles. On étudiera ici successivement la recherche de l'identité, les dispersions qui prévalent, les formes nouvelles de l'identification politique.

1. **L'identité recherchée.** — Processus complexe que celui que l'opération symbolique et les images symboliques prennent en charge. Fabriquer de l'identité : l'individu ou le groupe acquièrent en effet une identité destinée à rentrer dans l'ordre social de référence. Cette acquisition n'est pas chose simple. En dehors d'une double image répulsive/attractive, qui est travaillée, adaptée et investie par l'individu ou le groupe, pas d'identité possible, aucune participation à la vie publique, mais l'anarchisme individuel et l'apathie. Le montage de ce conflit d'opinion est bien l'affaire d'un travail du symbolique, qui vient mettre un terme à la crise d'identité, c'est-à-dire au flottement des opinions. Le domaine des opinions doit subir ce travail de formation d'images, montées en opposition. Opposition à recréer indéfiniment car elle a toujours tendance à s'effondrer, entraînant alors l'apathie. Elle doit être nourrie en permanence d'événements, c'est le travail de la presse, de la télévision et de la radio, des fabricants d'opinions, des fabricants d'images.

Le conflit d'opinion ainsi monté répétitivement est le cadre nécessaire à la construction d'une identité. Entre la bonne et la mauvaise image, un jeu de compromis qui aboutit au choix d'un « parti ».

Toute cette construction, cette pièce montée pour y capter la conscience politique de l'individu, est fondée sur le jeu des mémoires sélectives, mises ici au service de la présentation conflictuelle des scénarios, et qui préparent le choix. L'identité politique se fabrique bien à coups de mémoires choisies, et on voit bien comment la seule communication ne pourrait engager que le désordre et la confusion des signes.

2. **L'identité dispersée.** — Ce n'est pas la première fois qu'une dérive des signes se manifeste dans une société en crise. On se souvient de la désolation d'un Montesquieu. On se souvient du traitement différent de Rousseau. Dans un cas proposition de raccommodages. Dans l'autre, changement du tissu lui-même. On se souvient enfin du traitement de Marx : là où l'échange capricieux se substitue à l'usage, il proclame que le prolétariat est la seule classe porteuse d'intérêts universels, seule capable d'entraîner la mutation vers une société solidement arrimée à la nature et à la science.

Aujourd'hui, la crise de la représentation s'est encore aggravée du poids des bureaucraties, médias multipliés de toutes sortes qui dressent des obstacles de plus en plus nombreux entre l'Etat et l'individu, et entre les individus. Signes pouvoir ou signes marchandises, un phénomène de saturation au centre les renvoie par réfraction à la périphérie, mettant en péril le centre lui-même en tant que pouvoir réel et objet réel.

Comment choisir et pourquoi dans des scénarios contrastés, fabriqués par les partis à grand renfort d'images symboliques ? Trop d'images nuisent en définitive à un choix quelconque ; devant l'hyperproduction, l'hyperconsommation renvoie chacun à ses goûts échangeables. Impossible de monter une image fiable à moins d'un conflit grandiose et, pour cela, nous le disons, il ne se trouve plus d'ennemi pour faire figure de repoussoir.

L'analyse de Baudrillard est établie à partir de cette constatation : il n'y a plus d'objets d'usage ni de pouvoir qui ne soient simulacres eux-mêmes. Autrement dit, il n'y a plus de référent, le centre a disparu. Pouvoir et valeurs absents, restent les séries duplicata qu'on peut échanger et faire circuler, et qui rendent chacun indépendant (dans sa manière d'échanger) et rivé (au système général de reproduction du faux). Allons-nous réellement vers cet échange généralisé qu'un avenir radical (en ce qu'il n'a plus de racines) nous prophétise ? S'agit-il vraiment là d'une course de moins en moins maîtrisée, de plus en plus affolée, sorte de jugement dernier d'une histoire qui bégaie ?

3. **Les nouvelles formes d'identité : éclats de pouvoirs.** — Cet éparpillement, cette décomposition d'identités (même si quelques-uns tentent de les recomposer pour les faire tourner dans une société nouvelle) renvoient cependant à un phénomène qui en annule les effets : si le centre du pouvoir et son secret ne sont plus objets de fascination, et que leur illusion est dénoncée, des « centres » et des « pouvoirs » viennent occuper la place désertée. Il n'y a jamais eu autant de pouvoirs depuis que le pouvoir est contesté, jamais autant de secrets qu'au moment de la dénonciation du secret.

Ces petits groupes et ces sujets éclatés, ces mini-secrets de famille recréent alors les conditions d'une opération symbolique qui les réunifie par paquets. L'analyse en a été faite maintes fois. Toute marginalité sert le centre[19], en ce qu'elle lui apporte des

---

19. Qui bien souvent la crée, voir M. Foucault, *Surveiller et punir,* Gallimard, p. 215-217.

images toutes faites à recoder, des bribes à raccommoder, une possibilité de sursymbolisation.

Mais, plus lointain, et seul régnant en réalité, est le multinational, les interdépendances économiques qu'aucun pays ne peut maîtriser, le satellite de communication, l'effacement des différences, la voix anonyme qui énonce l'indistinction massive et la perte des identités. C'est le réseau qui passe au-dessus de nos têtes, au-dessus même des « jets », dans un tracé blanc, inscrivant en un ciel qui n'a plus rien de l'azur limpide le chiffre de ses opérations multiples. Pendant que s'énoncent très loin de la terre les lois de ces transformations, à ras le sol, on discute encore des problèmes d'identités, on se mesure entre frères ennemis et l'Œdipe est roi. Au-dessus, venu des tours de contrôle de Wall Street à Pékin, l'ogre ordinatique remet à sa place ce héros mythique dans l'archaïsme terrien, au premier jour d'une espèce en voie de disparition. Rêve-t-on, ou dit-on le plus proche ? Et s'il en est ainsi, c'est tout autrement qu'il faudrait poser le problème de l'identité, car celle qui nous menace de son anonymat, ce n'est plus celle des partis politiques, non plus celle des individualités fractionnées et récupérées, mais celle que nous imposerait l'ordinateur géant, transnational, planétaire.

Résistance difficile et douteuse contre l'ennemi anonyme, et qui est pour certains une raison de plus pour refuser encore. Mais qui va donc riposter, qui peut parler à la fois dialecte et électronicon ? Les minigroupes, le local, la région, la nation ?

Changement d'échelle : où est la nation ? — A ce niveau, changement d'échelle. Que valent les contre-pouvoirs éclatés, les refus individuels ou des minigroupes, devant cette entreprise d'un totalitarisme aussi vaste, le plus vaste qu'il nous soit jamais donné d'apercevoir ?

Car, si nous redescendons sur la terre, nous apercevons que la nation, la reconnaissance en elle et par elle, l'Etat qui la supporte pourraient être moyens de résistance à l'anonymat transnational, planétaire. Les contre-pouvoirs, l'avant-gardisme de l'extrême-gauche ne sont-ils pas des combats d'arrière-gardes ? Occitans, Corses, Bretons, associations ne se battent-ils pas dans le vide ? Le « local » résistant est, dira-t-on maintenant, de l'ordre de grandeur de la nation qui résiste à l'oppression des multinationales. D'autant que les revendications locales semblent mieux intégrées aujourd'hui à la voix nationale grâce aux lois de décentralisation et aux nouvelles institutions régionales.

Mais naturellement, une entité plus vaste et plus puissante, telle qu'un continent, permettrait mieux encore que la nation une résistance à l'ogre anonyme. C'est pourtant là où le bât blesse le plus : l'Europe a une symbolique faible, inapte encore à constituer l'identité. Jean Monnet le savait bien qui, s'il avait pu tout refaire, aurait recommencé par l'Europe politique et culturelle, en reléguant à une seconde étape l'Europe des affaires.

Mais les capacités de l'Europe à produire de la symbolique politique semblent aujourd'hui augmenter. Les jeunes voyagent beaucoup. Nous regardons souvent les mêmes films ou lisons les mêmes livres. Le marché unique, sans frontières, de 1992, suscite une sorte d'espérance : nous ne serions plus seuls, nous ferions partie d'un grand ensemble, puissant et reconnu. Comme si l'espérance devait toujours être suscitée et ressuscitée, quel qu'en soit le prétexte, quel que soit l'objet.

Conclusion. — Le village est dans le monde. Il est même devenu monde, comme l'annonçait Mac-

Luhan. Cacophonie des symboles venus de partout, en même temps. Nul ne s'y retrouve. L'identité recherchée se dérobe alors, malgré les efforts de la symbolique politique qui s'épuise en ses propres retournements, se dilue souvent dans le flux médiatique et ne retrouve quelque vigueur que par la résurgence des menaces totalitaires.

Mais l'identité dispersée est associée aux nouvelles formes de la symbolique politique : micro-luttes d'un côté, changement d'échelle de l'autre, la nation et l'Europe devenant de nouveaux objets d'enracinements.

LA SYMBOLIQUE POLITIQUE
FONDE L'IDENTITÉ

Entreprise nécessaire et impossible : face au monstre électronique sans bouche et sans oreilles, tombent les analyses de concepts et les dialectiques, tombent les oppositions savamment montées, binaires. Personne ne s'y reconnaît plus. Par contre, sur les écrans de télévision, les images des Gourous, leurs gestes, leurs incantations. A Rome, en décadence, les sectes se multiplient, les Dieux réapparaissent, barbares, sanglants. Aux lointaines frontières, on s'égorge sans trop savoir pourquoi, une histoire d'une complication infinie lance ses intrigues sinueuses sur des familles et des peuples. La démocratie en danger dans cette société en dérive : éclatée. Tout ce qui attachait à la terre ou à la ville s'estompe. Toutes les formes d'associations et de solidarité disparaissent.

La résistance des nations peut s'organiser, l'ordinateur et ses servants sont alors réduits à leurs justes limites. La mémoire vivante des hommes en conflits encercle la mémoire réifiée et accumulative du réseau informatique. Danger évident : cette mémoire archaïque peut nous rétablir dans les vieilles ornières. Mais après la mémoire ordinatique et la mémoire vivante, un troisième personnage entre en scène : la politique sans mémoire, scénario cambodgien qui efface le nom, la famille, le quartier, la ville, et qui déporte des populations entières. Table rase pour construire vraiment du neuf.

Quatrième personnage pour finir : le nazillon en goguette ou le souriant Le Pen, scénario qui se loge dans les peurs les plus archaïques. C'est dans ce quadrilatère de la mémoire ordinatique et de la mémoire vivante, de la table rase ou de celle des tortures que naissent les germes d'un futur imprévisible. Tout dépendra des stratégies d'alliances et de conflits entre ces quatre symboliques.

Scénarios tous concevables, affectés du même coefficient (incertain) de probabilité et qui renvoient toujours à la dispersion des signes. Cette politique éclatée est traquée de toutes parts par la symbolique qu'elle produit et qui la gouverne. Symbolique des imagiers, des chefs inspirés, des Partis-Princes. Symbolique des petits groupes dispersés en fusion ou des individus clôturés dans leur délire. Symbolique encore des signes ordinatiques dans le ciel de leur secret. Symbolique dans les fascinantes tables rases de nos lointaines frontières cambodgiennes ou libanaises, comme dans les sociétés libérales.

Toujours des élites et des pouvoirs, de la politique symbolique donc, et du secret destiné à cacher le foyer immobile de l'identité, cette parole sourde qui toujours martèle nos sociétés : « C'est moi. » « L'Etat c'est moi, le groupe c'est moi, devenons de plus en plus nous-mêmes, deviens ce que tu es... »

BIBLIOGRAPHIE

Georges Balandier, *Anthropologie politique*, PUF, 4e éd., 1984 ; *Le pouvoir sur scènes*, Balland, 1980.
Jean-Marie Cotteret et Gérard Mermet, *La bataille des images*, Larousse, 1986.
Alain-Gérard Slama, *Les chasseurs d'absolu*, Grasset, 1980.
Lucien Sfez, *L'Enfer et le Paradis*, PUF, 1978.

TABLE DES MATIÈRES

Imprimé en France
Imprimerie des Presses Universitaires de France
73, avenue Ronsard, 41100 Vendôme
Septembre 1988 — N° 33 591